LE PIÙ BELLE STORIE

Disney

DA CORSA

GIUNTI

Copertina:
Coordinamento di Emanuela Fecchio
Progetto grafico e colore di Max Monteduro
Disegno di Andrea Freccero

Coordinamento editoriale di Susanna Carboni

Editing di IF IdeaPartners - Milano

Pubblicato da Giunti Editore S.p.A.
Via Bolognese, 165 - 50139 Firenze - Italia
Piazza Virgilio 4 - 20123 Milano - Italia

Prima edizione: giugno 2017
Stampato da L.E.G.O. S.p.A Lavis (TN)

www.giunti.it

Disponibile anche in versione eBook

INDICE

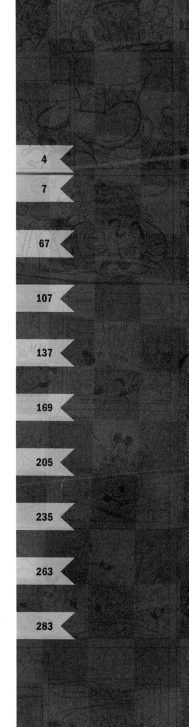

Storie rombanti   4

DOUBLEDUCK - POLE POSITION   7
Testo di Roberto Gagnor, disegni di Stefano Intini
Prima pubblicazione: Topolino nn. 2962 - 2963 (2012)

TOPOLINO E LE MACCHINE RIBELLI   67
Testo e disegni di Casty
Prima pubblicazione: Topolino n. 2613 (2005)

PAPERINO & BUM BUM IN STORIE DI CORSE E MOTORI   107
Testo di Corrado Mastantuono, disegni di Stefano Intini
Prima pubblicazione: Topolino n. 2754 (2008)

PAPERI AL VOLANTE   137
Testo di Maria Muzzolini, disegni di Silvia Ziche
Prima pubblicazione: Topolino nn. 2590 - 2591 (2005)

LA GRANDE CORSA PAPEROPOLI-OCOPOLI   169
Testo di Luca Boschi, disegni di Enrico Faccini
Prima pubblicazione: Topolino n. 2234 (1998)

PAPERINO E IL SEGRETO DELLA 313   205
Testo di Fabio Michelini, disegni di Massimo De Vita
Prima pubblicazione: Topolino n. 2071 (1995)

PAPERINO E IL MOTOCROSS DELLA "SIERRA"   235
Testo di Osvaldo Pavese, disegni di Giorgio Cavazzano
Prima pubblicazione: Topolino n. 985 (1974)

INDIANA PIPPS E IL PROBLEMA 4X4   263
Testo di Massimo Marconi, disegni di Massimo De Vita
Prima pubblicazione: Topolino n. 1886 (1992)

TOPOLINO E GLI ATTREZZI DEL MESTIERE   283
Testo di Giorgio Martignoni, disegni di Giorgio Di Vita
Prima pubblicazione: Topolino n. 2444 (2002)

STORIE ROMBANTI

Disney e motori, gioie e guidatori

DoubleDuck in missione segreta come meccanico: eccolo... in azione!

4

E cco qua una raccolta di bellissime avventure decisamente… su di giri! Infatti abbiamo a che fare con motori di tutti i tipi, auto velocissime e carrette da museo, ma con una caratteristica in comune: a guidarle ci sono i nostri personaggi preferiti.

TUTTI IN PISTA PER VINCERE

DoubleDuck Pole Position catapulta gli agenti DD e KK nel vorticoso mondo della Formula 1 dove tutti sono molto interessati al prototipo del PERS, ossia il "Power Explosion Reactor System", in pratica una bomba di motore!

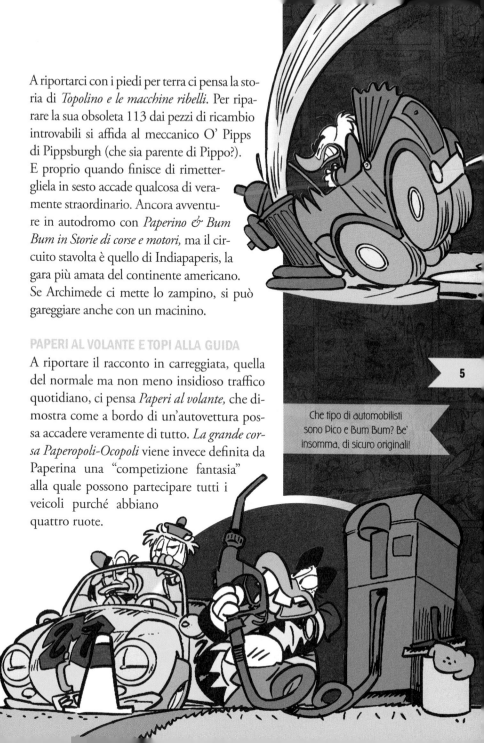

A riportarci con i piedi per terra ci pensa la storia di *Topolino e le macchine ribelli*. Per riparare la sua obsoleta 113 dai pezzi di ricambio introvabili si affida al meccanico O' Pipps di Pippsburgh (che sia parente di Pippo?). E proprio quando finisce di rimettergliela in sesto accade qualcosa di veramente straordinario. Ancora avventure in autodromo con *Paperino & Bum Bum in Storie di corse e motori,* ma il circuito stavolta è quello di Indiapaperis, la gara più amata del continente americano. Se Archimede ci mette lo zampino, si può gareggiare anche con un macinino.

PAPERI AL VOLANTE E TOPI ALLA GUIDA

A riportare il racconto in carreggiata, quella del normale ma non meno insidioso traffico quotidiano, ci pensa *Paperi al volante,* che dimostra come a bordo di un'autovettura possa accadere veramente di tutto. *La grande corsa Paperopoli-Ocopoli* viene invece definita da Paperina una "competizione fantasia" alla quale possono partecipare tutti i veicoli purché abbiano quattro ruote.

5

Che tipo di automobilisti sono Pico e Bum Bum? Be' insomma, di sicuro originali!

Gippippa 2
MOD. DE LUXE

ROLLBAR

VERRICELLO

Per tipi speciali occorrono autovetture speciali: divertimento assicurato!

L'atmosfera ricorda un po' quella del film *Un maggiolino tutto matto* e sequel ma con un finale… contro tutti i pronostici! Potevano mancare all'appello di questa antologia motoristica la mitica 313 di Paperino e la straordinaria Gippippa di Indiana Pipps? No di certo, e infatti eccole lì protagoniste di due storie interamente dedicate a loro. Non manca neppure un fuoripista motociclistico con *Paperino e il motocross della "Sierra"*, ambientato tra le scoscese montagne messicane, in grado di mettere a dura prova la resistenza di piloti e mezzi. Il gran finale è riservato a *Topolino e gli attrezzi del mestiere*, avventura nella quale il nostro eroe è alla guida di una specialissima auto da 007 messagli a disposizione da Basettoni. Quanti bei bottoncini da schiacciare sul cruscotto!

SBA-BANG

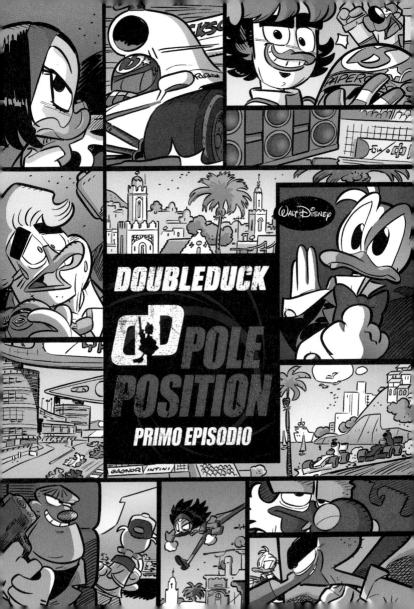

MA C'È IL GRAN PREMIO DI PAPUASIA E NON POSSO PERDERLO!

YAWN! LE QUATTRO DEL MATTINO! NON MI ALZAVO A QUEST'ORA DA... MAI!

IL CAMPIONATO DI FORMULA 1 NON È MAI STATO TANTO APPASSIONANTE!

EBBENE SÌ, AMICI!

RIUSCIRÀ LA DUCKSON RACING A TRIONFARE ANCHE OGGI?

UNA PICCOLA E SQUATTRINATA SCUDERIA BATTE PERRARI E McGNAGNEN ED ENTRA IN LIZZA PER IL TITOLO MONDIALE!

DOPO ANNI DI *RITIRI AL PRIMO GIRO*, LA DUCK'SON HA INFILATO UNA SEQUELA DI VITTORIE!

TUTTO MERITO DI UN *MISTERIOSO*, MA *IMBATTIBILE* NUOVO MOTORE...

... E DELLE *PRODEZZE* DI *ALONSO PAPERONSO!* IERI PILOTA DI *SESTA FILA*, OGGI CANDIDATO AL *TITOLO!*

SEGUIREMO QUESTA APPASSIONANTE GARA COL COMMENTO DEL NOSTRO *IVAN SGOMMATA!* VERO, IVAN?

ZZZ...

DLIN-DLON

IVAN? IVAN?!

CHI È, A QUEST'ORA? NEANCHE *PAPEROGA* ARRIVA A TANTO!

CIAO, *DOUBLEDUCK!* TI VA UN *VIAGGIO INTERCONTINENTALE?*

22

LA DUCK'SON HA RISOLTO **INSOLITAMENTE** IL PROBLEMA MECCANICO, MA STA PER ESSERE SUPERATA...

... E INVECE NO! PAPERONSO SEMINA LA VETTURA DI **FELICE SCASSA**...

... E VINCE!

YU-UUUH!

NO! NON...

SCREEEE

... FRENAREEE!

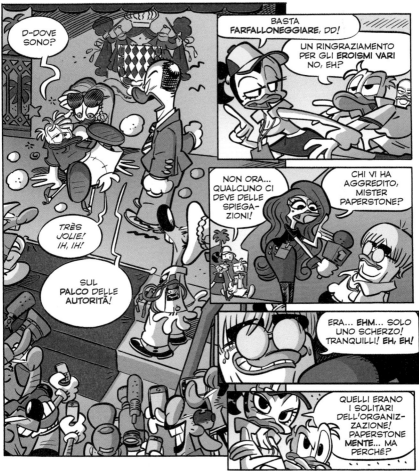

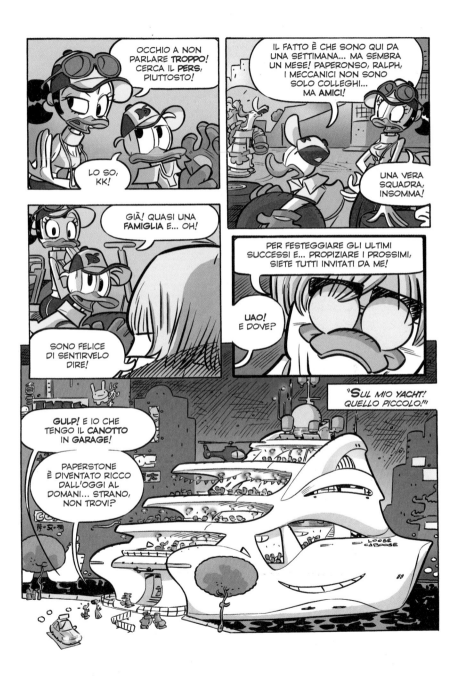

36

PROPRIO VOI!

MA PERCHÉ VI SIETE NASCOSTO ALLA DUCKSON?

ANNI FA HO LAVORATO IN FORMULA UNO... E AVEVO QUALCHE CONTATTO! HO CREATO UNA **NUOVA** IDENTITÀ PER FAR PERDERE LE MIE TRACCE...

"... E UNA SCUDERIA **POVERA** E **SFORTUNATA** ERA L'IDEALE, PER PASSARE INOSSERVATO!"

"**MA** NON HO RESISTITO ALLA TENTAZIONE DI **TESTARE IL PERS** SULLE VETTURE!"

"**E** HO AVUTO SUCCESSO... **TROPPO** SUCCESSO!"

SONO DIVENTATO RICCO E HO COMPRATO LA SCUDERIA GRAZIE AL **PERS**... L'**UNICO** PROTOTIPO IN CIRCOLAZIONE!

UNO SVENIMENTO DOPO...

PAPERONSO... NON FARLO...

EH! DOVE SIAMO?

SULLO YACHT, DD! LA FESTA È FINITA... MA ORA LA FARANNO A NOI!

E DOVE SONO QUACKSLEY E PAPERONSO?

SPARITI, INSIEME AI SOLITARI!

MA PERCHÉ CI HANNO LASCIATI QUI, KK?

NON ERA PIÙ SEMPLICE SBARAZZARSI DI NOI?

INFATTI, DD!

ECCO PERCHÉ CI HANNO LEGATO A QUESTA ENORME BOMBA!

UNCK!!!

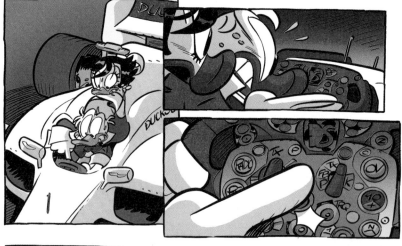

PUFF! APPENA IN TEMPO! E ADESSO?

SI VA A NANNA, DD!

DOBBIAMO ESSERE PRONTI E RIPOSATI PER DOMANI... E LA GARA IN **NOTTURNA!**

E PAPERONSO?

AVRÀ A CHE FARE CON L'UNICO AVVERSARIO CHE NON PUÒ SEMINARE...

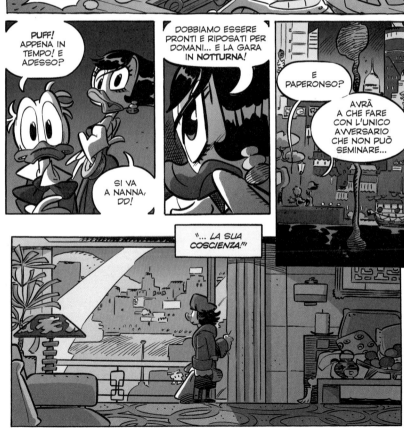

"... LA SUA **COSCIENZA!"**

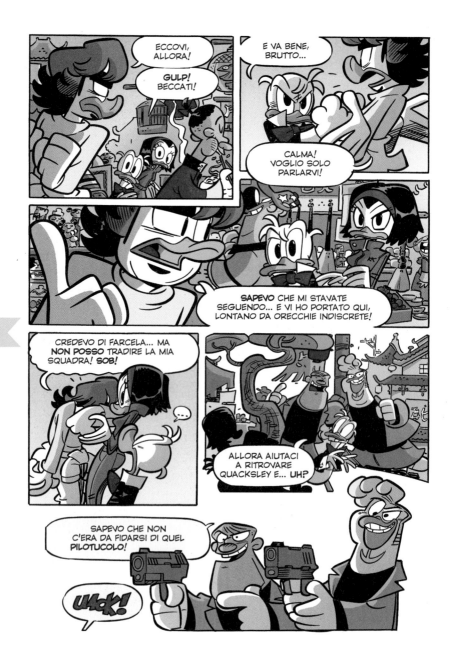

48

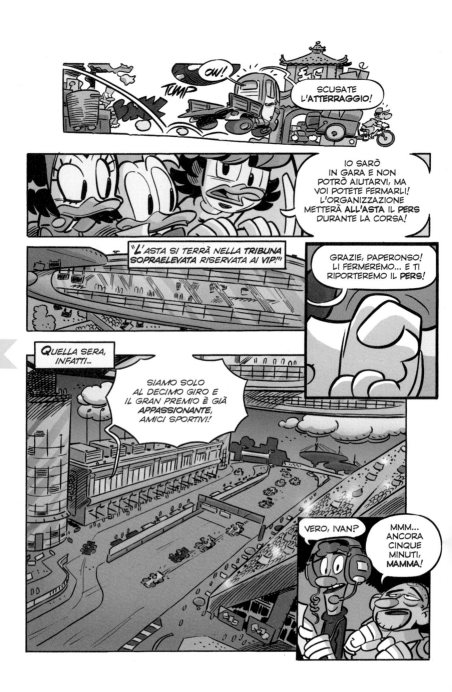

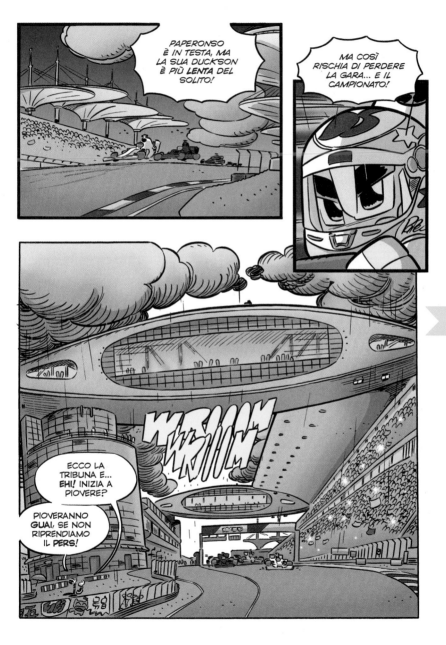

FATE LARGO ALL'AMATO LEADER DELLA PAPEROZHIA, **PAPERBULANGA-TORBOV!**

LEI È IL MIO MINISTRO PER LE PREVARICAZIONI, GALINA MANESKOVA!

MA NON SIETE SULLA LISTA!

IMPOSSIBILE! ABBIAMO CONTROLLATO **PERSONALMENTE!**

SPRAY INTONTENTE

SUVVIA, AFFASCINANTE SGHERRO!

EHM... GULP!

P-PASSATE PURE!

UAO! CHE PAPERA!

EH, EH!

GLI È ANDATA BENE... STAVO PER **STENDERLO!**

E ORA... GARAGULP!

UN BEL **PARTERRE** DI **FURFANTI!** GUARDA TU STESSO, CON GLI **INFO-OCCHIALI!**

S.B.QUIMBY
POLITICO CORROTTO

VLADIMIR SFORAKKIOV
BOSS DELLA MALAVITA

SLAVINIA DUCKERSON
TRAFFICANTE D'ARMI

CHE **BIOGRAFIE** INQUIETANTI!

VOGLIONO IL **PERS** PER COSTRUIRE **ARMI...** O MONOPOLIZZARE IL MERCATO ENERGETICO!

OFFRO 600 MILIONI!

E IO 650!

BENE, BENE! EH, EH!

UN MOMENTO! PRIMA VOGLIAMO UNA **PROVA** DEL FUNZIONAMENTO DEL **PERS!**

M-MA...

GIUSTO... ATTIVA IL **PERS,** QUACKSLEY!

S-SUBITO!

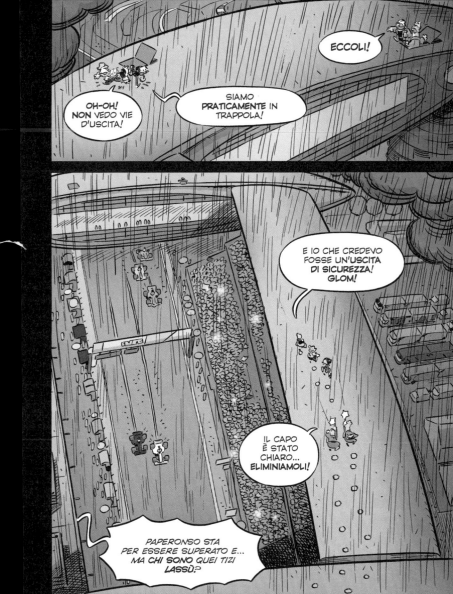

ECCOTI QUA**AAAH**!

TRANQUILLO, DD... NON SONO COME **LORO**!

KAY K! MA...

HO UN **GANCIO TASCABILE** CON FILO AL **TITANIO**, MA PUÒ REGGERE SOLO **DUE** DI NOI!

PRENDETELO VOI, ALLORA!

COSÌ POTRETE **SALVARVI**!

E VOI?

IO IMPROVVISERÒ! PRONTA, KK?

PRONTA, DD!

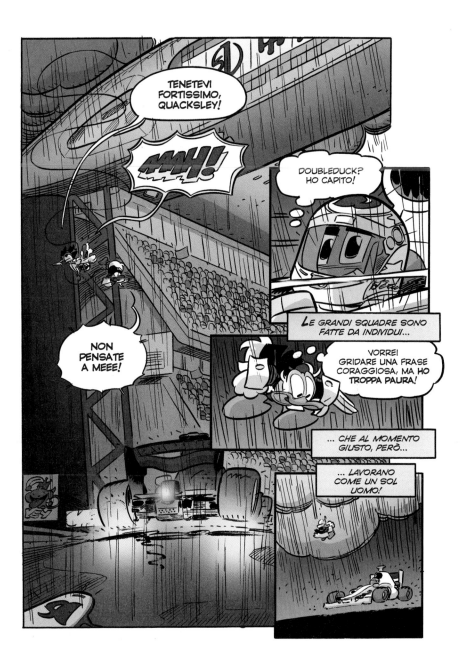

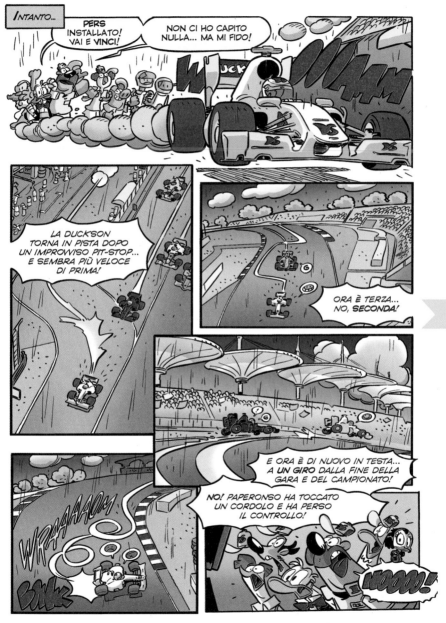

"CHE COSA È SUCCESSO, DOPO?"

"IL TRIONFO, INSOMMA."

"TUTTI VOLEVANO GODERSI LA VITTORIA..."

"... E L'ORGOGLIO DI AVER FATTO LA SCELTA PIÙ GIUSTA."

"MA C'ERA ANCORA QUALCOSA CHE NON MI TORNAVA."

DUCKBURG HERALD ONLINE
Formerly Papersera

PAPERONSO CAMPIONE!
La Duckson trionfa dopo un Gran Premio rocambolesco

ARRESTATI CRIMINALI INTERNAZIONALI
Incontro segreto durante la corsa? Le autorità smentiscono

QUACKSLEY SVANITO NEL NULLA
Misterioso scienziato fa perdere le sue tracce

"POI, PERÒ, HO CAPITO TUTTO."

IL **PERS** È UNA **BUFALA**, COME ABBIAMO SCOPERTO ANALIZZANDONE I RESTI! FUNZIONA SOLO PER **POCHI MINUTI!** IDEALE PER LA FORMULA UNO... MA **INUTILE** ALTROVE!

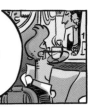

COSÌ L'AVETE PRESENTATO COME UN PRODIGIO TECNOLOGICO, PER **RIVENDERLO** A CARO PREZZO! MA QUANDO L'ORGANIZZAZIONE SI È MESSA IN MEZZO, VI SIETE RIVOLTO ALL'AGENZIA, PER SALVARVI... E **TURLUPINARE** ANCHE IL LORO AGENTE, A TANGERI!

INFINE VI SIETE NASCOSTO ALLA DUCKSON! AVETE PROVATO A **TRUFFARCI** TUTTI... MA VI È ANDATA MALE!

CLAC CLAC

IO? SONO SOLO UNA **PADDOCK GIRL!**

KAY K
AGENTE SPECIALE
MOLTO SODDISFATTA!

TUTTA COLPA VOSTRA, **PAPERA OSTINATA!**

MISSIONE COMPIUTA, DD!

BENISSIMO, KK!

ABBIAMO VINTO, MA TI SENTO... *ABBACCHIATO!*

È SCIOCCO, LO SO... MA MI **MANCA** LA MIA SQUADRA!

BUON NATALE, AMICO!

ANCHE A VOI!

PROLOGO

EVVIVA! LO ZIO E' GIA' TORNATO!

PIPPSBURGH TOPOLINIA

TOPOLINO

J-2613-7

CHISSA' PERCHE', DA QUALCHE ANNO, OGNI VIGILIA DI NATALE SI RECA A PIPPSBURGH?

E CHISSA' PERCHE' PARTE CON LA 113 E RITORNA CON L' AUTOBUS?

CHE COSA SEI ANDATO A FARE A PIPPSBURGH, ZIO?

HO COMPRATO UN PANETTONE BUONISSIMO!

67

UHM...

SECONDO NOI, C'E' SOTTO UN MISTERO!

CHE CURIOSI! E VA BENE, UN GIORNO VI SPIEGHERO'!

ORA A NANNA! O BABBO NATALE NON VI PORTERA' I REGALI!

MA NON ABBIAMO SONNO!

HO CAPITO! QUI CI VUOLE UNA BEL-LA *FIABA*!

UH?

MA ZIO, ORMAI LE CONOSCIAMO TUTTE!

E POI...ORCHI E STREGHE *NON CI SPAVENTANO PIÙ*!

ADESSO CI PIACCIONO LE STORIE DI *MOSTRI SPAZIALI*!

E DI *INVASORI GALATTICI*!

AH, DAVVERO?

ALLORA VI RACCONTERÒ UNA FIABA *MOLTO SPECIALE*...FORSE È ADDIRITTURA UNA *STORIA VERA*!

?

VI AVVERTO PERÒ CHE È MOLTO SPAVENTOSA! *BRRR*!

AH, AH! NOI NON ABBIAMO PAURA!

COME SI INTITOLA, ZIO?

UHM...VEDIAMO... PENSO CHE UN BEL TITOLO POTREBBE ESSERE ...

TOPOLINO

e le MACCHINE RIBELLI

Walt Disney

"DA UN PO' DI GIORNI, LA VECCHIA E GLORIOSA 113 SEMBRAVA MOLTO PIU' VECCHIA CHE GLORIOSA!"

EHI, MODELLO INTERESSANTE! VA A CAMOMILLA?

UMPF! PENSATE A RISPETTARE IL LIMITE, VOI!

SIETE D'INTRALCIO! LA VOSTRA AUTO E' PEGGIO DI UNA CARRIOLA!

SENTITE, SE AVETE TANTA FRETTA, SORPASSATEMI E... RISPARMIATE I COMMENTI, INTESI?

AVETE RAGIONE! SONO SUPERFLUI!

O-OH! DEVO PROPRIO DECIDERMI A FARE QUALCOSA PER TE, VECCHIA MIA!

"E COSI'..."

AH, ECCO! SONO LE CANDELE!

FIUUU! SOLO QUELLE?

SI', SOLO QUELLE VANNO! IL RESTO DELL' AUTO E' DA BUTTARE! ALLORA, LA **ROTTA-MIAMO**?

ULP! NO! IO CI SONO AFFEZIONATO E LA VOGLIO RIPARARE!

"E ANCORA..."

RIPARARLA? OH, SENTIMENTALE! PERCHE' INVECE NON DATE UN' OCCHIATA ALLA NUOVA **HAL 9001 CYBERSPACE WAGON**?

IL COMPUTER DI BORDO INDICA POSIZIONE, ALTITUDINE, DA' LE PREVISIONI DEL TEMPO E PREZIOSI CONSIGLI AL GUIDATORE!

NON HAI ALLACCIATO BENE LE CINTURE, DAVE...

VEDETE? SEMBRA DI STARE IN UN' **ASTRONAVE**!

EHM... QUANDO DOVRO' ANDARE SU MARTE, CI FARO' UN PENSIERINO!

ORA SEI TROPPO SPETTINATO, DAVE...

"FINCHE'..."

CERTO CHE SI PUO' METTERE A POSTO! IL PROBLEMA E' CHE NON HO I PEZZI DI RICAMBIO!

SIGH! DEVO RASSEGNARMI, DUNQUE?

FORSE NO! IL MIO COLLEGA **O' PIPPS DI PIPPSBURGH** HA DI TUTTO! SICURAMENTE LÀ TROVERETE I RICAMBI CHE VI SERVONO!

GRAZIE! CI VADO DI **CORSA!**

EHM...PER MODO DI DIRE, NATURALMENTE...

GIOVANOTTO, VI DECIDETE A SORPASSARE? SAPETE, LA DISTANZA DI SICUREZZA...

PIPPSBURGH 15 KM.

EHI! PROVATE A RILASCIARE IL FRENO A MANO! ANCH'IO, UNA VOLTA, HO RISOLTO COSÌ!

PIPPSBURGH 2 KM.

EHILÀ, TOPO! STAI INSEGUENDO QUALCHE PERICOLOSA...**TARTARUGA IN FUGA?**

OGGI NON MI SENTO PARTICOLARMENTE SPIRITOSO, PIETRO!

IO SÌ, DATO CHE HO VINTO ALLA LOTTERIA QUESTA FANTASTICA **TORPEDO FULL-OPTIONAL!** SA PERFINO DIRE CHE ORA È!

INFATTI STA PROPRIO DICENDO CHE...

...E` ORA **CHE TU CAMBI MACCHINA!** AHR, AHR!

COFF! COFF!

KROOOOM

OPS! MA...IL CLACSON SUONA **DA SOLO?** SEMBRA QUASI CHE LA 113 SI SIA **OFFESA!**

PEEE PEE·PEEE

TRANQUILLA, AMICA MIA! SAI CHE NON TI CAMBIEREI CON NESSUNA AL MONDO!

PEEEE

CHE BUFFO! ORA SI E` CALMATA...QUASI AVESSE **CAPITO** LE MIE PAROLE!

BENVENUTI A PIPPSBURGH

BUONDI`! C`E` NESSUNO?

NO!

AUTOFFICINA O`PIPPS

PERO` C`E` QUALCUNO, CIOE` IO! **YUK, YUK!**

UH?

DUNQUE! LENTEZZA NEI MOVIMENTI, CARBURAZIONE DIFFICOLTOSA, PROBLEMI CON LA CIRCOLAZIONE... UHM... MI PARE CHIARO!

E' GRAVE, DOTT... EHM... SIGNOR O'PIPPS?

DOVRO' ESEGUIRE UN DELICATO TRAPIANTO DI ALCUNI PEZZI! MA NON TEMETE, LA VOSTRA AMICA TORNERA' COME NUOVA!

BENE! E PER QUANTO RIGUARDA IL CLACSON CHE FA CONTATTO?

QUELLO **NON E'** UN PROBLEMA! EVITATE DI FARLA ARRABBIARE E VEDRETE CHE NON SUONERA' PIU'!

EH, EH! D'ACCORDO! DEVO DIRLE ANCHE QUALCHE **PAROLINA DOLCE**?

SI', MA... PROBABILMENTE LA VOSTRA AUTO NON SA ANCORA PARLARE! NON OFFENDETEVI, **SE NON VI RISPONDERA'**!

NON MI OFFENDERO'!

TORNATE TRA UN PAIO D'ORE! E STATE ATTENTO CON **VINCE**! E' PIUTTOSTO DISPETTOSO, PER ESSERE UNA VETTURA DI CORTESIA!

OKAY! CHIEDERO' A PIPPO SE HA PARENTI DA QUESTE PARTI!

AUTOFFICINA O'PIPPS

EHI! NON POTETE FARMI LA CONTRAVVENZIONE, **SCERIFFO O'PUPPS**!

?

IO VI SBATTO TUTTI IN GAT-TABUIA!

M-MA NON SO-NO STATO IO! E' STATA...

...VINCE! E' COSÌ CHE TI CHIAMI, VERO? SMETTILA DI FARE... IL MONELLO!

BENE! E ORA CHE HAI GIO-CATO CON LE POZZANGHE-RE, CHE COSA CONTI DI FARE?

GASP! NON DOVEVO CHIEDER-GLIELO!

AUTOLAVAGGIO

VRDOOM

IO AVEVO GIÀ FATTO IL BAGNO QUESTA MATTINA!

PASSI IL BAGNO, MA ADDIRITTURA LA PER-MANENTE... GLOM!

RRRRR...

MA CHE COSA STA SUCCEDENDO ALLE MACCHINE DI QUESTA CITT... OUCH!

PIETRO! ANCHE TU?!

GIA'! STAVO ATTRAVERSANDO LA CITTA' QUANDO LA TORPEDO HA INIZIATO A...FARE LE BIZZE!

SCUSATE, MI PARE CHE QUI CI SIA UN GROSSO PROBLEMA!

E' VERO! MA IL NOSTRO BRAVO O'POPPS HA GIA' TROVATO LA SOLUZIONE!

YUK!

BRILLANTINA O'POPPS! RIMETTE IN RIGA ANCHE LE CAPIGLIATURE PIU' VAPOROSE!

SBLAT

O-OH! GUARDATE CHE COSA STANNO COMBINANDO ADESSO, QUELLE DISCOLACCE!

?

CON COSTORO NON SI RAGIONA! VOGLIO TORNARE A TOPOLINIA PER PARLARE CON QUALCUNO DI QUESTA STORIA!

MI DAI UN PASSAGGIO? NON TROVO PIU' LA TORPEDO!

ECCOVI! E' STATO UN DURO LAVORO, MA ORA **ROSETTA** E' IN PERFETTA FORMA!

UH? CHI E' ROSETTA?

AUTOFFICINA O'PIPPS

E' LA VOSTRA **AUTO**, NO? SAPETE, HA GIA' FATTO AMICIZIA CON VINCE!

C-COME SAPETE CHE SI CHIAMA... "ROSETTA"?!

GLIEL' HO DETTO IO!

CIAO, TOPOLINO!

?!

113

AAAH!

OPS!

TE L'AVEVO DETTO DI NON PARLARE A QUELLI SENZA RUOTE! ALCUNI SI SPAVENTANO!

113

L-LA MIA MACCHINA MI HA SALUTATO!

BENE! VUOL DIRE CHE E' EDUCATA...

VEDIAMO SE RIUSCIAMO A PORTARE UN PO' D'ORDINE!

BAMBIN...EHM... AUTOMOBILINE, **ASCOLTATE!**

TIN TIN TIN TIN

?

CAPISCO CHE VI STATE DIVERTENDO, MA I VOSTRI PROPRIETARI HANNO BISOGNO DI VOI, PER IL LORO LAVORO!

DAVVERO?

SÌ! DOVETE ANDARE AD AIUTARLI! E... MI RACCOMANDO, SENZA FARE I DISPETTI!

BAH!

VA BENE!

ANDIAMO!

PANE

TAXI

UN MOMENTO! IO HO VOGLIA DI GIOCARE!

OH, FAI PURE COME VUOI, TORPEDO...

...PERÒ TI RITROVERAI A GIOCARE DA SOLO, PERCHÉ TUTTE LE ALTRE MACCHINE STANNO OBBEDENDO!

UFFA!

CI VEDIAMO DOPO, VINCE!

SBUFF! QUEL SENZARUOTE E' ANTIPATICO!

OH, TORPEDO, HAI RAGIONE! E' ANTIPATICO E **PRESUNTUOSO**!

PENSA DI ESSERE IL **CAPO** DELLE AUTOMOBILI! MA...**CHI** HA **DETTO** CHE DOVETE OBBEDIRGLI?

CHI L'HA DETTO?

NESSUNO! INFATTI, IO PENSO CHE VOI DOVRESTE DIVERTIRVI QUANDO E COME VOLETE!

GIUSTO!

EHI, VOI DUE! VI VA DI VENIRE A GIOCARE?

MA...DOBBIAMO ANDARE AL LAVORO!

IL MIO AMICO PIETRO DICE CHE NOI MACCHINE ABBIAMO TUTTO IL DIRITTO DI DIVERTIRCI!

BENE! SIAMO CON TE!

E COSÌ...

COMPLIMENTI, ROSETTA! LE TUE AMICHE SI STANNO DIMOSTRANDO TUTTE MOLTO DISCIPLINATE!

! SPLOSH

YEEEH!

OOOMMMMM

BE', QUASI TUTTE!

POOO-POOO!

AH, AH!

ORA RESTA DA TROVARE LA SPIEGAZIONE AL VOSTRO PRODIGIOSO CAMBIAMENTO!

TOPOLINIA 15 KM.

113

EHI! NON CREDIATE DI ANDARVENE COSÌ!

IL SINDACO VUOLE FARE UNA DICHIARAZIONE!

?

SKREEE

VI DICHIARO "EDUCATORE DELL'ANNO"! YUK!

HIP-HIP URRÀ!

VI DICHIARO ALTRE SÌ NOSTRO GRADITO OSPITE!

EHM... GRAZIE...

TOPO-TOPOLIN

GRAND HO

PIÙ TARDI...

MAH! CERCHERÒ LA SOLUZIONE DI QUESTO MISTERO DOMANI!

Z

BLINK

PSSST! EHI, ROSETTA!

VINCE! CHE COSA FAI IN GIRO A QUEST'ORA?

TEL

AL CANTIERE C'È UNA RIUNIONE DI TUTTE LE AUTOMOBILI! QUALCUNO VUOLE PARLARE DI COSE IMPORTANTI!

QUALCUNO? E CHI?

ASCOLTATE ME! IL MIO AMICO PIETRO MI HA DETTO CHE **NON SIAMO OBBLIGATI A OBBE-DIRE** AI SENZARUOTE!

DICE ANCHE CHE, SE SEGUIREMO I SUOI CONSIGLI, CI FARÀ GIOCARE MOLTO DI PIÙ E CI POR-TERÀ PERFI-NO AL CIRCO!

AL CIRCO, GIÀ!

EVVIVA!

MA QUEL **TOPO SENZARUOTE** DICE CHE DOBBIAMO ESSERE OBBEDIENTI!

QUEL TOPO È ANTIPATICO E... SI SBA-GLIA!

NO! TOPOLINO È SIMPA-TICO E HA RAGIONE!

MA INSOMMA, CHI DOBBIAMO ASCOLTARE?

QUI NON SI CAPISCE NIENTE!

QUESTO MONDO E' PROPRIO COMPLICATO!

A CHI LO DITE! IO NON HO ANCORA CAPITO CON QUALE COLORE SI PASSA!

UMPF!

UFFA! PER COLPA DI ROSETTA, LE MACCHINE NON MI ASCOLTANO!

CHE GUASTAFESTE!

QUELLA E' ANTIPATICA COME IL SUO PROPRIETARIO! TI CONSIGLIO DI **TENERLA D'OCCHIO**, TORPEDO!

GIUSTO!

IL GIORNO DOPO...

NON SARA' NECESSARIO TORNARE A TOPOLINIA! HO SAPUTO CHE IL **PROFESSOR O' PEPPS** STA STUDIANDO IL *VOSTRO* MISTERO!

MA... CHE COS'HAI? MI SEMBRI PREOCCUPATA!

UHM...

NIENTE, NIENTE...

VISTO? ECCOLO DI NUOVO!

BLINK

QUEL **RAGGIO VERDE** SI MANIFESTA A INTERVALLI REGOLARI DA TRE GIORNI! E PROPRIO TRE GIORNI FA E' INIZIATA ...L' EVOLUZIONE DELLE MACCHINE!

EVOLUZIONE?

GIA'! FATECI CASO! DAPPRIMA, SI ESPRIMEVANO A COLPI DI CLACSON ...ORA, ADDIRITTURA PARLANO ...DOMANI, **CHISSA'**!

GLOM!

YUK! SONO PROPRIO CURIOSO DI VEDERE COME VA A FINIRE QUESTA STORIA! GRADITE UN PASTICCINO?

BLINK

GRADIREI DI PIU' SAPERE CHI E' A EMETTERE QUEL RAGGIO!

FACCIAMO UN GIRO IN COLLINA, ROSETT...

?

NON ADESSO, TOPOLI- NO...

...C'E' TORPEDO CHE MI STA **PRENDENDO** IN GIRO!

SEI LENTA! SEI LENTA COME UNA LUMACA! GNE- GNEEE!

88

SE DOVETE ANDARE ALLE COLLINE POTETE USARE VINCE! MA FATE AT-TENZIONE, LE MACCHINE ... **STANNO CAMBIANDO!**

GIÀ! L'HO NOTATO ANCH'IO! CHE COSA VI STA SUCCE-DENDO, VINCE?

PRIMA ERAVATE TUTTE AMICHE! ADESSO LE **AUTO DI LUSSO** SNOB-BANO LE **UTILITARIE** ...

GIOCHI CON ME?

NO!

... I **CAMION** FANNO I PREPOTENTI ...

EHI! SEI PASSATO COL ROSSO!

E ALLORA?

... ALCUNE DI VOI DICONO ADDIRIT-TURA LE **PAROLACCE!**

FAMMI IL PIENO, **NASONE!**

OIL

NON CI SI COMPORTA COSÌ, VINCE!

MA... MA...

BUUUH! TU DICI UNA COSA, E **TORPE-DO** NE DICE UN'ALTRA! IO... NOI... **NON SAPPIAMO CHE COSA FARE!**

BE', ECCOMI APPIEDATO! NON DOVEVO SGRIDARLO! IN FONDO, QUESTE MACCHINE SONO UN PO' INGENUE ED E' FIN TROPPO FACILE INFLUENZARLE!

A TUTTI I **SENZARUOTE** DI PIPPSBURGH! LE MACCHINE VI INVITANO QUESTA SERA AL CANTIERE PER UNA BELLA **FESTA!**

BENE!

SARA' UN' OTTIMA OCCASIONE PER CERCARE DI CAPIRCI QUALCOSA!

MA...

BENVENUTI ALLA FESTA! TRA POCO, SARA' FATTA UNA DICHIARAZIONE!

YUM! MI PIACE FARE **DICHIARAZIONI!**

ULP! NON CREDO CHE SARETE VOI, A PARLARE!

SENZARUOTE, NOI SIAMO STUFE DI LAVORA-RE PER VOI! D'ORA IN POI FAREMO SOLO QUELLO CHE CI PIACE!

YUK! NON VI SEMBRA DI... **CORRERE UN PO' TROPPO?**

YUK, YUK! OTTIMA BAT-TUTA, SI-GNOR SIN-DACO!

E CHI NON E' D'AC-CORDO... **BRUM-BRUM!**

"B-BRUM-BRUM"?

SI'! **BRUM-BRUM!**

ADESSO BASTA! E' STATO GAM-BADILEGNO A METTERVI IN TE-STA QUESTE IDEE, VERO? BE', **NON FARETE MOLTA STRADA,** SEGUENDO IL SUO ESEMPIO!

ECCO, VEDETE? QUESTO SENZARUO-TE E' CAPACE SOLTANTO DI SGRIDAR-VI, AL CONTRARIO DI ME... CHE VI VO-GLIO PORTARE AL CIRCO!

FIUUU ...

FULMINI! QUESTA E'... LA RIVOLTA DELLE MACCHINE!

PEE-PEE ROARRR

POO-POO°

VROOMM

HANNO ABBATTUTO AN-CHE I PALI DEL TELEFO-NO! IMPOSSIBILE CHIA-MARE QUALCUNO A TOPOLINIA!

POO POOO

GLOM! E ANCHE SE CI RIUSCISSI, CHI MI CRE-DEREBBE?

CRACK

VROOOMM

SALITE A PRENDERE UN PASTICCINO, GIOVA-NOTTO! E' PERICOLOSO STARE IN STRADA!

P-PROFES-SOR O' PEPPS!

CON IL SINDACO O' PAPPS E LO SCE-RIFFO O' PUPPS ABBIAMO COSTITUI-TO UN COMITATO D'EMERGEN-ZA PER TROVARE UNA SOLUZIONE!

SBAT-TIAMOLE TUTTE IN GATTA-BUIA!

CALMA, SCERIF-FO! IL PROFESSO-RE CI STAVA PARLANDO DI UN MISTERIOSO RAGGIO!

IO SUPPONGO CHE IL RAGGIO SIA LA CAUSA DELL'INTELLIGENZA DEL-LE MACCHINE! TUTTO TORNEREB-BE ALLA NORMALITÀ, SE RIU-SCISSIMO A SPEGNERLO!

URGH! SA-RÀ LUNGA, A PIEDI, FIN LASSÙ!

UNA CAMMI-NATA NON MI SPAVENT...

95

FLASH!

...AAAGH!

SALITE! VI CI PORTO IO!

VISTO? L'HO RIPARATA A TEMPO DI RECORD!

ROSETTA!

GLI ALIENI VOGLIONO SOTTOMETTERCI UTILIZZANDO CONTRO DI NOI LE NOSTRE STESSE MACCHINE!

IO LI SBATTO TUTTI IN GATTABUIA!

DOBBIAMO TROVARE IL MODO DI SPEGNERE QUESTO RAGGIO E...

MA ALLORA SEI PROPRIO UN **GUASTAFESTE**, TOPO!

OH, NO! LE AUTO CI HANNO SEGUITO!

LE MACCHINE PARLANTI SONO **TROPPO PREZIOSE!** NON PERMETTERO' CHE TU ROVINI TUTTO...

...DOPO LA FATICACCIA CHE HO FATTO PER DIVENTARE IL **LORO CAPO!**

!

VROOMM

UN MOMENTO!

?

SKREEEE

AVEVI DETTO CHE NON AVREMMO DOVUTO OBBEDIRE A **NESSUNO**!

AH, SI'?

BE', VI HO DETTO UNA BUGIA! DOVRETE OBBEDIRE A ME!

ULP!

SEI UN IM-BROGLIONE!

GIA'! COME TUTTI I SENZARUOTE! BRUMMM!

URGH!

CONTENTO, PIETRO? ORA SIAMO TUTTI NEI GUAI!

SGAMMM

SGAMMM

NO! FERMI! MA NON VI ACCORGETE CHE VI STATE COMPORTANDO MOLTO MALE?

?!

SKREEEE

ROSETTA HA RAGIONE! DOVREMMO ESSERE TUTTI AMICI...

VINCE!

UMPF! NON VI HO DONATO LA CAPACITÀ DI PARLARE PERCHÉ LITIGASTE TRA DI VOI!

UN **EXTRA-TERRE-STRE!**

EHM... NON HO PRONTA UNA DICHIA-RAZIONE!

VOI DOVRESTE OCCU-PARVI DEI **PROBLEMI DEL PIANETA!** STU-DIARE LA MATE-MATICA...

?!

...ANDARE NELLO SPAZIO!

M-MA CHI, NOI?!

BLINK

TAXI

MA **VOI** CHI SIETE?

MI CHIAMO RB5688X, PER GLI AMICI **ERBIE!** SONO UN **AUTOIDE** E PRO-VENGO DAL **PIANETA DELLE MACCHINE!**

GIUNTO QUI, HO VISTO CHE LE AUTO ERANO ANCORA FERME ALLA **PREISTORIA** DEI MOTORI!

E COSI', CON IL MIO **RAGGIO** DELLA **CRE-SCITA**, HO INNESCA-TO IL LORO **PROCES-SO EVOLUTIVO**!

MA...C'E' GIA' UNA SPECIE EVOLUTA, SU QUESTO PIANE-TA! **E SIAMO NOI!**

DICHIARO CHE E' VERO!

CONFERMO! YUK!

UHM...

E VI DIRO' DI PIU'! LE MAC-CHINE SONO STATE CO-STRUITE **DA NOI!**

GULP! DAVVERO? MA AL-LORA...

...VOI SIETE I MITICI "**CREATORI**" DI CUI PARLANO **LE LEGGENDE** DEL MIO MONDO!

?!

YUK! AVETE CAPITO? SUL SUO PIANETA LE AUTOMOBILI SONO DIVENTATE COL TEMPO COSI' **SOFISTICATE** DA **SOPPIANTARE** L'UOMO!

NUOVA SUPERCAR ULTRACOMPUTERIZZATA

FA TUTTO DA SOLA!

GLOM! ALLORA FINIREMO ANCHE NOI COSI', UN GIORNO!

SIGNOR ERBIE, ASCOLTATE! AVETE FATTO UNO SBAGLIO! NOI NON VOGLIAMO PRENDERE IL POSTO DEI SENZARUOTE!

NON SAREBBE GIUSTO!

NOI VOGLIAMO STARE CON LORO ED ESSERE **LORO** AMICI!

SI'!

PERO' I SENZARUOTE NON CI FANNO GIOCARE!

E NEMMENO QUESTO E' GIUSTO!

ASCOLTATE! POTREMMO FARE UN **PATTO**! CHE NE DITE?

UHM... SAREBBE A DIRE?

SE DI GIORNO VOI STARETE BUONE E SILENZIOSE...

... AVRETE POI L'INTERA NOTTE PER **GIOCARE**!

SI'! CI PIACE QUESTA IDEA!

E' POSSIBILE, ERBIE?

CERTO! PROGRAMMERO' IL RAGGIO PERCHE' ABBIA EFFETTO **SOLO DI NOTTE**!

SARA' IL NOSTRO **SEGRETO**!

EVVIVA!

PEEPEEE

E SE POI VI AZZARDATE A PARLARNE IN GIRO... VI SBATTO IN GATTABUIA!

EHM... CAPITO!

104

CHE BELLA STORIA, ZIO!

PECCATO CHE SIA SOLO UNA FIABA!

UNA FIABA... EHM... GIÀ!

EH, EH! MA NE SIETE SICURI?

UH?

ULP! QUEST'OGGI LO ZIO HA LASCIATO LA 113 A PIPPSBURGH!

ZIO, DICCI LA VERITÀ!

ERA UNA FIABA... O UNA STORIA VERA?

UHM...

VI MOSTRERÒ UNA COSA... MA VOI DOVRETE MANTENERE IL SEGRETO, OKAY?

VISS...

?

VEDETE LAGGIÙ, SOTTO LE COLLINE? QUELLE SONO LE LUCI DI PIPPSBURGH!

E QUELLO E' IL **RAGGIO VERDE**!

MA ALLORA...

GIA'! QUESTO SIGNIFICA CHE...

BLINK

"...A PIPPSBURGH, IN QUESTO MOMENTO..."

YUK! DICHIARO APERTA LA BATTAGLIA...

SVISSH

"...LE MACCHINE STANNO FESTEGGIANDO IL NATALE!"

...DI PALLE DI NEVE!

AUGURI A TUTTI!

BRUM!

PIZZA

FINE

TU MI POTRESTI, EHM... ANTICIPARE LA CIFRA?

BATTISTA, LIBERA I MASTINI!

TU NON HAI MASTINI!

FUORI!

PENSA AI POVERI NIPOTINI SENZA UN LETTO, SENZA UN TETTO, SENZA...

FUORI! FUORI! FUORI!

GLOM! TI RENDERÒ IL DOPPIO DELLA CIFRA!

ALT!

DOVE PRENDERESTI TANTI SOLDI?

IL TEMPO DI RISCUOTERE IL PREMIO DELL'ASSICURAZIONE... EHM... E AVRAI INDIETRO I TUOI SOLDI RADDOPPIATI!

UHM... E VA BENE!

A CONDIZIONE CHE TU ME LI RESTITUISCA ENTRO DUE SETTIMANE!

SIGH!

COSÌ...

ORA AVETE CAPITO PERCHÉ MI DOVETE AIUTARE A TROVARE VENTIMILA DOLLARI?

MA... L'ASSICURAZIONE SULLA CASA?

NON ESISTE NESSUNA ASSICURAZIONE!

ULP! IL GUAIO È SERIO!

PERÒ... POTREI VENDERE IL BREVETTO DELLE BIO-CARAMELLE! ORTICA, FUNGHI, MIGLIO, SENAPE, PEPERONCINO...

ALL'UFFICIO BREVETTI NON PAGANO MOLTO, MA...

SONO SPACCIATO!

UN MOMENTO! IL FRATELLO DI BUM BUM LAVORA IN BANCA! LUI SAPRÀ TROVARE UNA SOLUZIONE!

BINGO!

È ESCLUSO! OGNI VOLTA CHE CERCO TODDY PASSO LE ORE AL TELEFONO PER RINTRACCIARLO!

TI PREGO, TI PREGO, TI PREGO!

TUO FRATELLO È L'UNICO CHE PUÒ TROVARE UNA SOLUZIONE!

UMPF! E VA BENE, AL MIO RITORNO LO CHIAMO!

DOVE VAI?

TRA POCO INIZIERÀ LA CORSA D'INDIAPAPERIS E IO, COME OGNI ANNO, SARÒ IN PRIMA FILA!

MEGLIO NON PERDERLO DI VISTA! ANDIAMO CON LUI!

111

NON STO NELLA PELLE! FRA POCO I BOLIDI PIÙ POTENTI SI DARANNO BATTAGLIA!

ENTUSIASMO CONTAGIOSO!

NON C'È CHE DIRE!

IL FATTO CHE SIA IL PROPRIETARIO DELL'AUTOMOBILE NON GLI DÀ IL DIRITTO DI UMILIARMI CON CONTRATTI **DA FAME!**

GIÀ! È UNA VERGOGNA!

UN MILIARDO E MEZZO A STAGIONE!... TSK! ROBA DA FAR IMPALLIDIRE ANCHE L'ULTIMO DEGLI AUTISTI!

VEDIAMO SE TRAFUGANDO **FOLGORE**, IL SUO BOLIDE, SARÀ PIÙ RAGIONEVOLE!

SIETE SICURO?

CREDO CHE TECNICAMENTE SIA UN **RICATTO**, SIGNORE!

È QUELLO CHE SI MERITA QUEL TACCAGNO!

PORTALA VIA! EH, EH! NICK FRENOTIRATO NON AVRÀ SCELTA!

UH, UH!

FOLGORE

IL SUO AUTOGRAFO NON DEVE MANCARE ALLA MIA COLLEZ...

SIGH! SOB!

ULP! NICK FRENOTIRATO! CHE COSA VI SUCCEDE?

SONO FINITO!

IL MIO PILOTA, JERRY SCOCCA, È SPARITO CON LA MIA AUTO!

SIETE SICURO? MAGARI È SOLO IN RITARDO!

VEDETE QUESTO?

PRFFFT

?

È LA SUA RICHIESTA DI RISCATTO PER RIAVERE LA MIA ADORATA FOLGORE!

BUUUHHAAA!

CHE FARABUTTO!

NON HO I SOLDI CHE MI CHIEDE E SENZA MACCHINA IL DANNO SARÀ INCALCOLABILE!

A INIZIARE DAL PREMIO DI CENTOMILA DOLLARI PER IL PRIMO ARRIVATO CHE IO SPERAVO DI VINCERE!

CENTOMILA?

OLTRETUTTO QUESTA È LA GARA DI PUNTA DELL'INTERA STAGIONE...

CENTOMILA... PERÒ!

NON GAREGGIARE COMPROMETTERÀ LA PARTECIPAZIONE DI FOLGORE ALLE PIÙ IMPORTANTI MANIFE-STAZIONI AUTO-MOBILISTICHE!

VEDRETE CHE LA POLIZIA VI AIUTERÀ!

TUTTO INUTILE...

... TRA MEZZ'ORA INIZIA LA GARA!

POVERINO! GLI È CROLLATO IL MONDO ADDOSSO!

FERMI!

IL MONDO DELLE CORSE È SPIETATO, MA OFFRE ANCHE GHIOTTE OPPORTUNITÀ!

EH?

CHE COSA VUOI DIRE?

INTENDO CHE SE IL DESTINO HA MESSO SUL NOSTRO CAMMINO CENTOMILA DOLLARI...

... PERCHÉ NON **COGLIERE L'OCCA-SIONE?**

QUANDO FA COSÌ MI METTE PAURA!

PERCHÉ NO? ABBIAMO L'AUTO E SI È APPENA LIBERATO UN POSTO PER LA GARA!

TI VORRESTI **SOSTITUIRE A FOLGORE** E AL SUO PILOTA?

CERTO! CON IL VO-STRO AIUTO!

DIMENTICHI CHE NOI NON SIAMO PILOTI E CHE LA TUA MACCHINA È UN **MACININO?**

SENZA CONTARE CHE SAREMMO IMPOSTORI!

AH, SÌ? NIENTE GARA, NIENTE TELE-FONATA!

CI HAI STANCATO CON QUESTA TIRITERA!

BEN DETTO! ADDIO!

EHI! DOVE ANDATE?

MA PERCHÉ NON PROVARE? SE DIMOSTREREMO DI ESSERE I PIÙ BRAVI, I SOLDI DEL PREMIO CE LI SAREMO GUADAGNATI!

ARCHIMEDE POTREBBE SISTE-MARE IL MOTORE... IL RESTO SI VEDRÀ!

UHM...

BE', IN EFFETI, QUEL DENARO CI FAREBBE COMODO!

E IO POTREI RESTITUIRE I VENTIMILA DOLLARI ALLO ZIO!

BENE!

EHI! NON ABBIAMO DETTO DI SÌ!

MA NON AVETE DETTO NEANCHE DI NO! ANDIAMO!

COSÌ...

SBRIGATI! TRA QUALCHE MINUTO DOBBIAMO ESSERE IN PISTA!

PUFF! NON HO ANCORA FINITO!

NON C'È PIÙ TEMPO! DOBBIAMO ANDARE!

ULP!

SO CHE MI PENTIRÒ DI TUTTO QUESTO!

IO SONO GIÀ PEN-TITO!

119

GHHH!

UMPF! SORRIDETE E TUTTO FILERÀ LISCIO!

INCREDIBILE! DOPO I DUBBI DELLA VIGILIA STA ENTRANDO IN PISTA...

... FOLGORE, GUIDATA DAL CAPACE *JERRY SCOCCA* E IL SUO TEAM!

EH? NON CAPISCO!

NON CI VOGLIO CREDERE! QUELLI SONO I TIZI INCONTRATI PRIMA!

SIGH! QUEGLI INCOMPETENTI GETTERANNO NEL FANGO IL BUON NOME DELLA MIA FUORISERIE!

CI SIAMO! AGGRAPPATEVI FORTE!

VRoaammmmm

I MOTORI ROMBANO! LE AUTO SONO PRONTE A BRUCIARE L'ASFALTO!

122

... MA GLI SPERICOLATI, DI GIORNO, SI DIVERTONO DI PIÙ!

AAAH!

INCREDIBILE! DOPO UN RITARDO CHE SEMBRAVA INCOLMABILE, FOLGORE STA RAGGIUNGENDO LA TESTA DELLA GARA!

ANCORA QUALCHE METRO E...

CLOGH CRACK

CHE COS...

PUNF

BOOOM

AAAAHH!

DEVI TROVARE UNA SOLUZIONE!

IMPOSSIBILE E, ANCHE SE RIUSCISSI, LE ALTRE MACCHINE HANNO ORMAI TROPPO VANTAGGIO!

RASSEGNIAMOCI, SIAMO FUORI!

BONK
BONK
BONK

IN QUESTI MOMENTI AMARI NON RESTA CHE IL CONFORTO DELLA MIA ULTIMA INVENZIONE... LE BIO-CARAMELLE!

VUOI?

PUAH!

SGURGLE

FIZZ
SNARL
KAZIMM

ULP! CHE COSA GLI PRENDE?

RALLENTA! STIAMO PERDENDO I PEZZI!

NON POSSO! I FRENI NON RISPONDONO!

FOLGORE NON DEMORDE E ALLA VELOCITÀ DEL SUONO SI AVVICINA SEMPRE DI PIÙ AL GRUPPO DI TESTA!

MA ORMAI NON C'È PIÙ TEMPO! BILL BUKK È A VENTI METRI DAL TRAGUARDO!

MA...

CHI È CHE SUONA ALLA PORTA DI PRIMO MATTINO?

SIGNOR FRENOTIRATO...

HO MOLTO CERCATO VOI E I VOSTRI DUE AMICI...

SE È PER I DANNI, HO DUE DOLLARI E UN TOSTAPANE ROTTO IN CUCINA! NON HO ALTRO!

CHE COSA AVETE CAPITO?

LA POLIZIA HA ACCIUFFATO JERRY SCOCCA E I SUOI COMPLICI E RITROVATO INTATTA LA MIA FOLGORE!

SONO CONTENTO PER VOI, MA NON...

NON SOLO! GRAZIE ALLA VOSTRA CORSA STRAMPALATA DI DUE GIORNI FA, TUTTI I GIORNALI HANNO FATTO UNA PREZIOSA PUBBLICITÀ ALLA MIA FUORISERIE!

GRAZIE ALL'INASPETTATA **POPOLARITÀ**, FOLGORE POTRÀ PARTECIPARE ALLE GARE PIÙ PRESTIGIOSE!

EH, EH! HA GIÀ RICEVUTO DOZZINE DI INGAGGI!

VOGLIO SDEBITARMI! ECCO **VENTIMILA DOLLARI** DI **RICOMPENSA** PER VOI E I VOSTRI DUE AMICI!

- - -

CORRO AD AVVERTIRE PAPERINO E ARCHIMED...

MOTORSHOP

...EHI! E QUESTO CHE COS'È?

20.00

LE CORSE, D'ORA IN POI, SARÀ MEGLIO VEDERLE IN TELEVISIONE!

ANCHE BUM BUM FARÀ MEGLIO A...

AMICI, GRANDI NOTIZIE!

GRAZIE A NOI, FOLGORE È DIVENTATA FAMOSA E IL PROPRIETARIO CI HA RICOMPENSATO CON VENTIMILA DOLLARI!

GIUSTO I SOLDI CHE SERVONO PER IL DEBITO DI PAPERINO!

DOVE SONO I SOLDI?

LI HO GIÀ SPESI TUTTI!

EH?

CHE COSA HAI COMPRATO?

GUAR-DATE CHE BELLA!

M-MA È UNA TUTA DA PILOTA!

SÌ, PIÙ UN SET DI DEODORANTI PER LA MIA NUOVA MACCHINA!

NON MI IMPORTA DELLA TELEFONATA A TODDY! VOGLIO SOLO PIASTRELLARE IL MIO BAGNO CON I TUOI BEI DENTONI!

FERMATE IL PIASTREL-LOMANE!

NON CE LA FACCIO PIÙ!

ZITTO E TINTEGGIA!

DOPO I TUOI **SCIAGURATI ACQUISTI**, TOCCHERÀ A TE ONORARE I DEBITI DI PAPERINO!

SIGH!

PER FORTUNA HO TENUTO PER ME L'OFFERTA DI NICK FRENOTIRATO DI FAR PARTE DEL SUO TEAM!

GIÀ MI IMMAGINO CON LA MIA TUTA NUOVA FIAMMANTE, AL VOLANTE DI FOLGORE!

CIAO, BUM BUM! CALDO OGGI, EH?

UMPF!

FINE

PAPERI al volante

INSOMMA, VI SBRIGATE? NON POSSIAMO FARE TARDI **PROPRIO OGGI!**

TSK! DA CHE PULPITO, ZIO...

DA CHE **DIVANO**, SEMMAI! RUSSAVA FINO A CINQUE MINUTI FA!

PAPERINO & CO. SONO SEMPRE RISPETTOSI DEL CODICE DELLA STRADA MA, IN QUESTA STORIA, INTERPRETANO LA PARTE DI GUIDATORI INDISCIPLINATI PER GIOCO: PROVATE A TROVARE TUTTE LE INFRAZIONI COMMESSE.

PRONTI? ALLORA...**VIA!**

CLACT CLACT CLACT

VROOOM

GULP!

ARRIVEREMO IN UN ATTIMO!

MA, POCO DOPO...

SGRUNT! LA SOLITA SFORTUNA! CHE COSA CI FA UNA **MIETITREBBIA** IN PIENO CENTRO?

POT POT POT

DOPPIO **SGRUNT!** LA STRADA E' TROPPO STRETTA PER SUPERARE!

NON STARE **APPICCICATO!**

COFF... SOFFOCHIAMO!

POT POT POT

STAI CALMO, ZIO!

IO SONO CALMISSIMO!

INFATTI...

PEEPEEE PEE PEEP! PEE PEEE

PEEE PEEE PEE

SMETTILA, PER FAVORE!

ANCHE SUONANDO, NON METTERAI IL TURBO A QUEL TRABICCOLO!

PEEPEEEPEE

UMPF! PAPERINA HA SCOMMESSO CHE ARRIVERÀ A DESTINAZIONE PRIMA DI ME, E NON INTENDO PERDERE!

PEEPEEEE

INTANTO... NELL'ULTIMA PUNTATA DI **BRUTTIFUL**, IL RUBINETTO DEL BAGNO DI CASA PAPERSTER HA CONTINUATO A PERDERE!

NO, NON HANNO CHIAMATO L'IDRAULICO! GIA'... MI CHIEDO ANCH'IO COME ANDRA' A FINIRE! VIVO NELL'ANSIA!

CHE COSA? **NOOO**, NON MI DISTURBI AFFATTO, CHIQUITA! CONOSCO I TEMPI DI PAPERINO, E POSSO PRENDERMELA COMODA!

SKREEK

ULP! ASPETTA UN ATTIMO! E' USCITO IL NUOVO NUMERO DI **POCUS**, IL MIO MENSILE PREFERITO!

BUS

POCO DOPO... SENTI QUI: "...LA **TERZA DOMENICA** DEI MESI SENZA "R" DALLE 10 ALLE 11 DEL MATTINO, LE DONNE GUIDANO MOLTO MEGLIO DEGLI UOMINI"! UHM!

POCUS

POCO LONTANO...

AULA MAGNA:
GRANDE CONVEGNO

RELATORE:
PLURIPROFESSOR PICO DE PAPERIS

UHM...NON ERA MAI SUCCESSO! DURANTE IL MIO DISCORSO NESSUNO SI E' ADDORMENTATO! E NEMMENO HA SBA-DIGLIATO! FORSE PERCHE' ERA IL CONVEGNO...

...DEGLI **INSONNI CRONICI?**

ULP! DEVO SBRIGARMI!

PRESTO! GLI ALTRI SARANNO QUASI ARRIVATI!

VROOOM

OH, NO! HO LASCIATO GLI **OC-CHIALI** SULLA CATTEDRA DEL-L'AULA MAGNA...MA E' TROP-PO TARDI! PASSERO' A PREN-DERLI DOMANI!

DEL RESTO CI VEDO...EHM... **BENISSIMO** LO STESSO!

PAPERO

DUNQUE, DUNQUE...

AAAH!

M- MI DISPIACE MOLTO, SIGNORA... EHM... SIGNORINA!

BRUTTO **ATTENTATORE**! CHI VI HA DATO LA PATENTE?

EHM...IN EFFETTI L'HO AVUTA **HONORIS CAUSA**! FORSE UN PO' DI SCUOLA GUIDA MI FAREBBE BENE!

DIREI! AVETE BAGNATO IL MIO VESTITO E **APPIATTITO** LA MIA PETTINATURA DI **PAPERANDO**, IL PARRUCCHIERE DELLE DIVE!

E TRA POCO MI DEVO SPOSARE! COME FACCIO?

BE'..."SPOSA BAGNATA, SPOSA FORTUNATA"!

GRRR...

EHM...SCHERZAVO! FORSE POTREI...

POCO DOPO...

UAO! IL VESTITO SI E' ASCIUGATO, E I MIEI CAPELLI SONO **UNO SCHIANTO**!

GIA'!

142

EH, EH... IERI HO TENUTO UNA LEZIONE DI **TRICOLO-GIA** IN UNA SCUOLA PER PARRUCCHIERI, E MI HAN-NO REGALATO UN "**SET PIEGA FACILE**"!

POTRESTE DIVENTARE IL MIO PARRUCCHIERE DI FIDUCIA!

EHM... MAGARI **UN'AL-TRA VOLTA**! ORA DEVO SCAPPARE!

A VOLTE NON SI RIESCE PRO-PRIO A VIAGGIARE TRANQUILLI!

ULP!

TING

FRENA, BATTISTA! **FRENA**!

TOC

SKREEEE

AAAH! SIAMO CONTROMANOOO!

PEEEE

FRENAAA!

SKREEEE

SKREEE

FIUUU... CI E' ANDATA MOLTO BENE, BATTISTA!

NESSUNO HA VISTO LA MONETA!

I-IO L-L'HO **VISTA BRUTTA**, PERÒ'!

SULL'ALTRO VEICOLO...

CHE FORTUNA!

AVERLA SCAMPATA, INTENDI?

NOOO... HAI VISTO **CHI** C'ERA SU QUELL'AUTO?

UN **INCOSCIENTE SCELLERATO**?

C'E' PAPERONUCCIO! FAI **INVERSIONE**! SEGUIAMOLO!

NON SI PUO', DOBBIAMO LAVORARE! GLI AFFARI SONO AFFARI!

ANDIAMO, BATTISTA!

GIA'! MA QUELLI DI CUORE SONO I PIU' IMPORTANTI!

UFFA! E VA BENE...

AH, LE PAPERE!

LE PAPERE **INNAMORATE**!

ZOOW

POCO DOPO...

EHM... NONOSTANTE LA VOSTRA **SCORCIATOIA** SIAMO IN RITARDO, PRINCIPALE! DEVO ACCELERARE?

CONSUMANDO PIU' **BENZINA**? GIAMMAI!

NON PERDERLO!

ULP! CHE SCOSSONI! LA MERCE CHE TRASPORTIAMO POTREBBE RISENTIRNE... O ADDIRITTURA **ESPLODERE**!

E-ESPLO-DERE?!

BE', VISTO CHE TRA-SPORTIAMO **FUO-CHI D'ARTIFICIO**, AVREI DOVUTO NOLEG-GIARE UN FURGONE CON ALLESTIMENTO SPECIALE!

PERÒ SAREBBE COSTATO MOLTO DI PIÙ!

CHE COOOSA? HAI RI-SPARMIATO SULLA **SICU-REZZA**? TI È VENUTO UN ATTACCO DI **PAPERONITE**, PER CASO?

GUARDA CHE È LA **TUA** PAPERONI-TE CHE CI HA CONDOTTI SU QUE-STA STRADA SCONNESSA!

UMPF! ADESSO NON MI SENTO TRANQUILLA!

TSK! PER COLPA DELL'INVER-SIONE CHE MI HAI FATTO FARE, SONO INVECCHIATO DI DIECI ANNI!

EHM...PER PAPERONUCCIO NE VALEVA LA PENA!

ALLORA RILASSATI! E POI SIAMO UN **DUO SCOPPIETTANTE**, NO?

ALTROVE... QUESTO SI', E' UN MOTORE **A SCOPPIO**! ANZI, A **POP CORN**!

UN'AUTO CHE VA A CHICCHI DI MAIS, ECO-LOGICA E ...SNIFF... INVITANTE!

PASSANDO DI QUI SBUCHE-RO' FUORI CITTA' IN UN BALENO!

CHISSÀ DOVE SONO GLI ALTRI?

ALCUNI, MOLTO VICINO!

SNIFF...DOVEVAMO FER-MARCI A QUELL'AUTOGRILL, AMICO MIO! HO LE **ALLU-CINAZIONI OLFAT-TIVE**!

TU NON SENTI PROFUMO DI **POP CORN**?

ULP!

E'... E' ROSSO!

UH? IL MIO MAGLIONE, DICI? LO SO!

GLOM!

CHE COSA C'ENTRA, COMUNQUE? SEI UN PO' STRANO, A VOLTE!

TEMI FORSE CHE CI ANNOIEREMO, DA NONNA PAPERA?

148

TRANQUILLO! PER OGNI EVENIENZA, HO PORTATO IL **MEGATOMBOLONE AZIENDALE**!

1527 CARTELLE, TABELLONE DI DUE METRI PER DUE, **3567** FAGIOLI E **4632** SASSI SEGNA-CASELLA! CI PUO' GIOCARE UN INTERO PAESE E IL DIVERTIMENTO E' **ASSICURATO**!

MA...

STUNF

EHM...DOVEVI **ASSICURARLO MEGLIO**, TUTTO QUESTO DIVERTIMEN-TO!

SGRUNT! CHE PASTIC-CIO!

UHM... EPPURE...

OSSERVA IL MODO IN CUI SI SONO SPARPAGLIATI I SASSI, FAGIOLI E CARTEL-LE! NON SEMBRA **CA-SUALE!**

AH, NO?

SI DIREBBE CHE SEGUANO UNO SCHEMA! E SE SI TRAT-TASSE DI UN **MESSAGGIO ALIENO**? DEVO ASSOLUTA-MENTE FARE UNA FOTO!

MA...NON DOVREM-MO RACCOGLIERE TUTTO? SE ARRIVA QUALCUNO...

UFF! POTRAN-NO ASPETTARE UN ATTIMO, NO?!

CLIC CLIC

PIU' TARDI...

OHI, OHI... FORSE QUEL TIZIO NON POTEVA ASPETTARE UN ATTIMO...

SIGH! NON VOLEVA TARDARE ALL' ALLENAMENTO DI **BOXE**!

GIA'... MA IO NON POTEVO TARDARE ALL' APPUNTAMENTO CON ALTRE FORME DI VITA DALLO SPAZIO!

OH-OH! IO MI PREOCCUPEREI DI FORME DI VITA **PIU' PROSSIME**!

UH?

FIII

PARI O DISPARI?

EHM... COSI' SU DUE PIEDI, NON SAPREI... PARI! SE INDOVINO, CHE COSA VINCO?

NON FATE LO SPIRITOSO, SIGNOR **CONTRAVVENTORE**!

COMUNQUE IL LIBRETTO E' A POSTO...

CERTO, CHE E' A POSTO! IO CI TENGO MOLTO AL MIO LIBRETTO DI CIRCOLAZIONE, E QUASI OGNI GIORNO...

...AGGIUNGO UN FOGLIETTO CON QUALCHE **AFORISMA** DI MIA INVENZ...

PECCATO CHE LA PATENTE NON SIA STATA RINNOVATA! E' SCADUTA!

SONO **TAAANTO DISPIACIUTO** DI DOVERVI DARE UNA BELLA MULTA!

BE', ALLORA CHE NE DITE DI UNA **CONSTATAZIONE AMICHEVOLE**?

CHE COSA?

MA SI'...VOI AVETE CONSTATATO UNA MIA MANCANZA, MA CHIUDETE **AMICHEVOLMENTE** UN OCCHIO! FUNZIONA COSI', NO?

AH, AH! AL MASSIMO CHIUDERO' IL MIO TACCUINO, MA SOLO DOPO CHE AVRETE **CONCILIATO**!

I NOSTRI AMICI HANNO MOLTA FRETTA... MA PERCHE'? LO SAPREMO FRA UNA... PAGINA! INTANTO CONTATE QUANTE INFRAZIONI HANNO COMMESSO.

FINE PRIMA PUNTATA

PAPERI al volante

SECONDA PUNTATA

WALT DISNEY

MOLTE NOSTRE CONOSCENZE SI STANNO DIRIGENDO ALLA FATTORIA DI NONNA PAPERA PER UN EVENTO SPECIALE... **MA GUARDATE COME GUIDANO MALE!**

PER TUTTI I ROSPI RUGOSI! QUELLO E' **PAPERONE!**

BENE, BENE... NON DOVRO' NEMMENO ARRIVARE FINO AL DEPOSITO! E SENZA I CONGEGNI ANTI-STREGA DI MEZZO, SARA' UNO SCHERZO **RU-BARGLI LA NUMERO UNO!**

153

EH, EH! PER FORTUNA PORTO SEMPRE CON ME UNA FIALA DI **EFFLUVIO DEL VESUVIO**, DALL' EFFETTO IMMOBILIZZANT...

ALT!

SCREEEK

ACCOSTATE, SIGNORINA!

COME VI PERMETTETE DI INTERROMPERE UNA MIA **OFFENSIVA**?

VOI NON SAPETE CHI SONO IO!

CALMA, SIGNORINA! NON VI GIOVA URLARE **COME UNA STREGA**!

PIUTTOSTO, NON SAPETE CHE E' VIETATO PERCORRERE L'AUTOSTRADA CON VEICOLI **NON A MOTORE**?

NON LO SO E **NON MI IMPORTA**! MI STATE FACENDO PERDERE TEMPO, E IL TEMPO E` DENARO!

IN QUESTO CASO, UNA PREZIOSISSIMA MONETINA DA 10 CENT!

DEVO RIAGGANCIARE PAPERONE! **ADDIO**!

EHI!

IL MIO COLLEGA NON HA FINITO!

OH, NO! UN ALTRO!

SCREEEK

HO DETTO CHE DEVO ANDARE!

ALT! STOP!

NON POTETE DISUBBIDIRE A UN PUBBLICO UFFICIALE! **SIETE NEI GUAI**!

POF

TSK! TEMO CHE NEI GUAI CI SIATE **VOI**... ALMENO PER DUE ORE!

CRA!

CRAAA!

INTANTO, A PAPEROPOLI...

YAWN...CHE DORMITA!

ULP! E' TARDISSIMO! DOVREI ESSERE GIA' ALLA FATTORIA!

FORSE DOVREI RICONSIDE-RARE L'IDEA DI **COMPRARE**... O MEGLIO, DI **VINCERE UNA SVEGLIA**, ANCHE SE NON NE HO MAI AVUTO BISOGNO!

MA PER FORTUNA C'E' LEI! UNA **PAPERARI ESATURBO**, LA MIA ULTIMA VINCITA!

BRIP BRIP

CHI ERA?

BAH... UN **ESALTATO** CON UNA **ESATURBO**!

VROOOM

EFFETTIVAMENTE STO ANDANDO UN PO' FORTINO!

VROOOM

NON RIESCO A DOSARE BENE LA PRESSIONE SULL'ACCELERATORE! NON E' COLPA MIA SE APPENA LO TOCCHI, L'AUTO SCHIZZA A *100 ALL'ORA!*

UEOOoUEOOo

TRA POCO LO PRENDIAMO, **TIM!**

NON VEDO L'ORA, **TOM!** SI RICORDERA' DI NOI PER MOOOLTO TEMPO!

EHI! TOGLITI DA LI'!

PE PEE

ZOW

UMPF! NON LO VEDO PIU'!

GRRR! NON SONO NEMMENO RIUSCITO A PRENDERE IL NUMERO DI TARGA! QUELLO E' PROPRIO NATO CON LA CAMICIA!

ULP! FANCIULLE IN DIFFI-COLTÀ!

TE L'AVEVO DETTO! L'**ARANCIATA** NEL RADIATORE NON VA BENE!

UMPF! L'ACQUA L'AVEVO FINITA!

FSSSSS

POSSO AIUTARVI, RAGAZZE?

NON CREDO... ABBIAMO FUSO!

E TRA POCO DOVREMMO ESSERE A QUACK TOWN PER TENERE UN CONCERTO!

SIGH! ERA LA NOSTRA GRANDE OCCASIONE PER FAR CONOSCERE AL MONDO IL NOSTRO GRUPPO MUSICALE!

FIVE!

FOUR!

THREE!

TWO!

ONE...

ZERO!

GIÀ... ZERO ASSO-
LUTO! SIGH... IL
CONCERTO NON
CI SARÀ!

NON DISPERA-
TE! ANCH'IO
STO ANDANDO
A QUACK TOWN!
SE VI ACCON-
TENTATE...

FANTA-
STICO!

GRAZIE, MA... CI STA-
REMO? LA TUA È UNA
AUTO SPORTIVA E POR-
TA AL MASSIMO **DUE**
PASSEGGERI!

SÌ, MA È UNA **ESATUR-
BO** E ANCHE NOI SIAMO
IN SEI! BASTERÀ STRIN-
GERSI UN PO'!

EHM... FORSE **UN
PO' PIÙ DI UN
PO'**!

PER FORTUNA
ABBIAMO GIÀ
GLI STRUMEN-
TI SUL POSTO!

INOLTRE, SIAMO
UN GRUPPO MOL-
TO UNITO!

RAGAZZE! CHE NE
DITE DI CHIAMARE IL
NOSTRO GRUPPO
**LE SARDINE IN
SCATOLA?**

BAH!

CIAO, PAPERINO! SEMPRE DELL'IDEA CHE CHI VA PIANO VA LONTANO, EH?

E' UN'OTTIMA REGOLA, SBRUFFONE!

CERTO, CERTO! SPECIE PER CHI GUIDA UNA 313! IH, IH!

SENTI... TI VEDO UN PO' APPESANTITO!

IO MI VEDO PIU' "BEATO TRA LE PAPERE"! EH, EH! CI VEDIAMO ALLA FATTORIA!

VROOOM

GRRR! NON MI FARO' SEMINARE COSI'! GLI FARO' VEDERE DI CHE COSA E' CAPACE LA 313!

ASPETTA, ZIO! SIAMO GIA' AL LIMITE CONSENTITO E GASTONE LO STA SUPERANDO!

UMPF! HAI RAGIONE, QUO! CON LA MIA SFORTUNA, VERREI SUBITO IMMORTALATO...

130

313

"...DALL' IMPLACABILE PAPEROVELOX!"

FLASH

ZOW

O-OH! TEMO CHE QUELL' AGGEGGIO TI ABBIA **FOTO-GRAFATO**!

IN EFFETTI STAVO AN-DANDO FOR-TINO! ORA RALLENTO!

QUANDO C'E' DI MEZZO MIO CUGINO VA SEMPRE A FINIRE CHE ...

BRIIIIP BRIIP

SCUSATE, RAGAZZE!

EHM...CI VORREBBE L' **AURICOLARE** O IL **VIVAVOCE**!

SGRUNT! HAI SEMPRE DA RIDIRE! DOPO TUTTO QUEL-LO CHE GASTONE HA FAT-TO PER NOI!

STO PASSANDO DAVANTI A UN PA-PEROVELOX E MI CHIEDEVO SE LO HAI NOTATO! EH, EH!

IN EFFETTI **NO**...

...MA QUALCOSA MI DICE CHE DELLA MIA FOTO NON SE NE FARANNO MOLTO!

NON CAPISCO! NON E' MAI SUCCESSO CHE UN VOLATILE **IMPALLASSE** QUEL SOFISTICATISSIMO APPARECCHIO!

PERO'! CHE RISULTATO **AR-TISTICO**!

SIETE ARRIVATI, FINALMENTE!

YAWN... E' STATA DURA ASPETTARVI SVEGLI!

ALLORA, CHE COSA POSSIAMO FARE PER TE?

DOVRESTE GUIDARE!

ULP! GUIDARE?

NO! BASTA!

SEGUITEMI! VI MOSTRERO' QUALCOSA CHE FORSE VI FARA' CAMBIARE IDEA!

BRIGITTA? FILO? CHE COSA FATE QUI?

EHM...

SONO I BENVENUTI, SE HANNO VOGLIA DI DARCI UNA MANO!

MA CERTO! TUTTO, PUR DI STARE VICINO A PAPERONE!

POSSONO INTERESSARVI DEI FUOCHI D'ARTIFICIO? NE HO UN PO' SUL FURGONE!

MAGARI PIU' TARDI! ORA DOBBIAMO METTERCI IN MARCIA! ECCO A VOI...

164

...I MIEI RAGAZZI! TRATTORI D'EPOCA, APPARTENENTI A ME E AI CONTADINI DELLA ZONA...

CI PIACEREBBE CHE LI GUIDASTE VOI DURANTE LA PARATA!

DEVO AVVICINARE PAPERONE E...

CI RIVEDIAMO, SIGNORINA!

ULP! ANCORA VOI?

GIA'... NON SAPPIAMO BENE CHE COSA SIA SUCCESSO, MA...

...RICORDIAMO CHE CI DOVETE QUALCHE SPIEGAZIONE!

EHI! CHE COS... AMELIA?

PROPRIO IO! SGRUNT!

MA SOPRATTUTTO IO, SIGNORI!

SONO BIG BEN BOSS, IL CAPO DELLA POLIZIA STRADALE DELLA CONTEA! **BBB** PER GLI AMICI, MA NON E' IL VOSTRO CASO!

CREDEVATE DI FARLA FRANCA, EH? MA I NOSTRI SATELLITI VI HANNO INCHIODATO!

DI CHE COSA STATE PARLANDO?

QUESTI SIGNORI HANNO COMMESSO UNA **LUNGA SERIE DI INFRAZIONI** AL CODICE DELLA STRADA!

ULP! E' PIU' LUNGA DELLA MIA LISTA DEI DEBITI!

SEGUITEMI IN CENTRALE PER I VERBALI E LA **DECURTAZIONE DEI PUNTI**, PREGO!

S-SUBITO?

NON POTETE PORTARMELI VIA ADESSO! CHI GUIDERA' QUEI TRATTORI DA COLLEZIONE PER LE VIE DI QUACK TOWN?

VISTO COME SI SONO COMPORTATI, NON MI SEMBRA PROPRIO IL CASO DI METTERE AL VOLANTE QUESTI **PLURICONTRAVVENTORI!**

SOB! NON AVETE CUORE! RIVOLGERSI COSI' A UNA POVERA NONNINA INDIFESA!

EHM... NON FATE COSI'!

E VA BENE! POTETE SFILARE, MA DOPO FAREMO I CONTI!

EVVIVA!

E COSI'...

CHE SPETTACOLO!

POT POT POT BROOOM BROOOM

EHI! QUELLO E' IL MIO TRATTORE! CHE BELLA PAPERA LO GUIDA!

PERCHE' HAI INSISTITO PER **GUIDARE** ANCHE SE NON SEI CAPACE?

NON VOGLIO STARE LONTANA DA TE E DALLA **NUMERO UNO!** OPS!

E POI VOGLIO CAPIRE CHE COS'HANNO PIU' DELLA MIA SCOPA I MEZZI A MOTORE!

168

PIU' TARDI...

BENE, RINGRAZIAMO IL SINDACO PER IL BANCHETTO!

SONO IO CHE RINGRAZIO VOI, NONNA PAPERA!

YUM!

YU-UUUH! BASTA GUIDARE! ORA SI MANGIA!

GIA'! PENSATE CHE IL **CONTO** E' GIA' PRONTO!

GASP!

TUTTI INSIEME AVETE COMMESSO BEN 26 INFRAZIONI, PER UN NUMERO TOTALE DI PUNTI DA SOTTRARRE ALLE VOSTRE PATENTI DI...

FINE

E VOI LE AVETE INDIVIDUATE TUTTE?

IL **GRILLO PARLANTE** GLI HA DEDICATO ADDIRITTURA UN INSERTO!

IO SEGUIVO I SERVIZI AL TG NAZIONALE!

E' CHIARO CHE PER AVERE L'ATTENZIONE DEI **MASS MEDIA** DOBBIAMO BUTTARCI IN UN AVVENIMENTO SPORTIVO!

SIGH! IO **ODIO** GLI SPORT!

MA FARO' UN'ECCEZIONE, VISTO CHE SI TRATTA DI UNA NOBILE CAUSA!

GIA'! DOBBIAMO RACCOGLIERE I FONDI PER **DARE CASA A TUTTI I CANI!**

MA LE CIRCOSTANZE CI SONO FAVOREVOLI! QUEST'ANNO NON SI TERRA' LA PAPEROPOLI-OCOPOLI UFFICIALE!

NE SEI CERTA?

E' LA NOSTRA OCCASIONE!

CERTISSIMA! IL COMITATO ORGANIZZATORE NON HA PIU' UN SOLDO!

COSI' AVREMO TUTTI GLI OCCHI PUNTATI SULLA **NOSTRA GARA!**

E CON IL RICAVATO DELLE ISCRIZIONI CI SARANNO I FONDI PER LA NOSTRA INIZIATIVA!

QUALE SARA' IL PREMIO PER IL VINCITORE?

PRESENZIERA' CON ME LA CERIMONIA DI CHIUSURA DELLA GARA!

TUTTO LI'? NEANCHE UNA **COPPA**? NEANCHE UN ASSE-GNO?

HANNO RAGIONE, PAPERINA! TU SEI **GENEROSA**, MA FORSE UN PREMIO IN DENARO PUO' FAR GOLA A MOLTI!!

BOF! I SOLITI **VENALI**!

BE', PER ACCONTENTARE TUTTI I GUSTI, DEVOLVEREMO UNA PARTE DEL RICAVATO PER IL PREMIO!

UNA **PICCOLA** PARTE, EH?

E COSI'...

UNA CORSA SPECIALE PER CONCORRENTI SPECIALI! COSI' SARA' LA PAPEROPOLI-OCOPOLI DI QUEST'ANNO!

CICCIOOO! SPEGNI QUEL-LA RADIO!

HO BISOGNO DI QUIETE PER **AUSCULTARE** QUESTO MOTORE!

BZZZZZZ ZZZZZ

FA UN RONZIO STRANO! UHM...

INTERVI- STIAMO LA MADRINA...

ECCO SVELATO IL MISTERIOSO RUMORE! SGRUNT!

BZZZ

IL MIO **ASSISTENTE** DOVRA' TOR- NARSENE DA NONNA PAPERA PRIMA DEL PREVISTO! E' UNA FRANA!

BZZT

SALVE A TUTTI I RADIOASCOL- TATORI!

SVEGLIA!

ARGH!

GUARDA, GUARDA! ORA CHE SEI SVEGLIO E' CESSATO IL **BRUSIO** DI QUEL MOTORE!

EHM... MI ERO APPISOLATO, MA SOLO PER **CONCENTRARMI** MEGLIO!

HO SENTITO BENE? C'È UN RUMO-
RETTO DA TOGLIERE DAL
MOTORE?

LASCIA PERDERE!
HO RISOLTO!

...PER LA CORSA PAPE-
ROPOLI - OCOPOLI ...

EHI! MA QUESTA È LA
VOCE DI **PAPERINA**!

...QUEST'ANNO
ABBIAMO ORGANIZZA-
TO UNA "**COMPETIZIO-
NE FANTASIA**"...

...A CUI I PARTECIPANTI POSSONO CONCOR-
RERE CON I VEICOLI CHE VOGLIONO! PUR-
CHÈ ABBIANO **QUATTRO RUOTE**!

RADIO
PAPER
SOUND

PER IL VINCITORE
CI SARÀ UN PRE-
MIO AMBITISSIMO!

PRESENZIERÀ
CON ME LO
SHOW TELEVI-
SIVO DELLA
CERIMONIA DI
CHIUSURA!

CI SARÀ...UMPF...
ANCHE UN PRE-
MIO IN DENARO!

UAO! QUI IN OFFICI-
NA C'È L'AUTO
GIUSTA PER QUESTA
GARA!

LE ISCRIZIONI SONO APERTE PRESSO
IL CLUB DELLE AMICHE
DI PAPEROPOLI!

QUESTA
SUPERTURBO DEL '66 È
UNA VERA FORZA DELLA
MECCANICA!

QUANDO L'HO PRESA ERA UNA **VECCHIA CARCASSA!** ORA IL SUO MOTORE E' ROMBANTE COME QUELLO DI UNA **PAPERARI!**

BRMMM...

ULP!

BRONF BRROM

CI RISIAMO CON IL **RUMORE MISTERIOSO!** STAVOLTA SEMBRA UNA SEGHERIA!

ZZZZ

INTANTO ALLA SEGRETERIA FERVONO LE ISCRIZIONI...

GULP! SEI SICURO DI VOLER PARTECIPARE?

NO! TU NON PUOI!

POLI-OCOPOL

174

E PERCHE' NON POTREI, RAGAZZE? ECCO IL CONTANTE PER LA REGOLARE ISCRIZIONE!

NON ABBIAMO MESSO UNA NORMA CHE **ESCLUDA** GASTONE DALLA PARTECIPAZIONE?

PURTROPPO, NO!

ISCRIZIONI!

PAPEROPOLI-OCOPOLI
GRANDE CORSA

GRAND CORS

PAPEROP OCOPOL

SE SI VIENE A SAPERE CHE PARTECIPA ANCHE GASTONE, NON SI ISCRIVERA' PIU' NESSUNO!

CON LA FORTUNA CHE SI RITROVA, HA GIA' LA VITTORIA IN TASCA!

VERGOGNA!

SE VI PREOCCUPATE DI QUESTO, TERRO' IL **BECCO CHIUSO**! NON VOGLIO INFLUIRE SULLE ISCRIZIONI!

D'ALTRO CANTO, LA SOMMA DEL PREMIO MI FA COMODO! HO UN DEBITUCCIO DA SALDARE CON IL RISTORANTE DI JOE!

GIA'!

DESIDERATE ISCRIVERVI ANCHE VOI?

NO, NO! GASTONE CORRERA' PER IL MIO RISTORANTE! DICO BENE?

EROPOLI - OCOPO GRANDE CORSA

VEDI, CHIQUITA? E' UNA CAUSA DI **FORZA MAGGIORE**!

VEDO!

II - OCOPOL

A ME NON CONVINCE! TU PUOI TROVARE QUEI SOLDI IN **MILLE** ALTRI MODI!

PER ESEMPIO, PASSEGGIANDO COSI' NELLA ZONA DEL PORTO, DOVE SPIRA SEMPRE VENTO, STAI SICURO CHE TI **FINISCE** SULLA FACCIA UNA BANCONOTA DA **MILLE DOLLARI!**

ULP!

HAI VISTO? NON HAI NEMMENO DOVUTO RAGGIUNGERE IL **PORTO!**

E' UNA BANCONOTA DA MILLE DOLLARI?

NO!

BE'...SPICCIOLO PIU' O MENO, ORA PUOI CANCELLARE LA TUA ISCRIZIONE!

MI DISPIACE DELUDERVI, RAGAZZE!

E' UN BUONO OMAGGIO PER UN CONSULTO DA UNA **CARTOMANTE!**

MADAMA **DORI'** ASTROLOGA CARTOMANTE INTERPRETE (IN FUNGHE) DI FONDI DI CAFFE'

BE'...SEMPRE MEGLIO DI NIENTE, NO?

VA BENE, HO CAPITO! FARO' UN GIRO AL PORTO!

AH! CHE RAGAZZE INGENUE! SE OGNI VOLTA CHE TIRA VENTO ARRIVASSERO SOLDI...

TOH! TRA L'ALTRO LA CARTOMANTE HA LA TENDA PROPRIO VICINO AL PORTO!

NON CREDO A QUESTI SEDICENTI MAGHI, MA PER FARMI QUATTRO RISATE PASSERÒ A TROVARLA!

Madama DORI

SALVE! HO UN BUONO...

...PER UN CONSULTO OMAGGIO! LO SO! **IO SO TUTTO!**

AH, SÌ? E MAGARI SAPETE ANCHE COME MI CHIAMO!

I NOMI VENGONO E VANNO! È IL **DESTINO** CHE CONTA!

x

VEDO CHE NELLA TUA **CARTA DEL CIELO**, MARTE SI OPPONE A NETTUNO E PLUTONE! CHIUDITI IN CASA, TI ASPETTANO TEMPI GRAMI!

DUNQUE IO SAREI UN TIPO **SFORTUNATO?** EH! EH!

L'HAI DETTO! TI ASPETTANO GIORNI PIÙ NERI DI UNA PANTERA NERA CON GLI OCCHI CHIUSI IN UNA NOTTE SENZA LUNA!

E... CHE DISDETTA! IL FONDO DEL **BIDONE** HA CEDUTO!

ARGH!

CHE SCHIFO! **PUAH!**

MIAO! MIAO!

SNIF

BASTA! VIA DI QUA!

FZZ

MEOW

GROW

ARF

CHE INCUBO! NEGLI ULTIMI DUE MINUTI MI E' CAPITATO L' **INVEROSIMILE!**

FZZZ

GNOAO

ARF

GR

NON VORREI CHE QUELLA CARTOMANTE CI AVESSE AZZECCATO!

INTANTO...

SIGNOR PAPERONE, NON SIATE COSÌ RESTIO! E' SOLO UNA **PARTECIPA-ZIONE SIMBOLICA** ALLA GIURIA!

SGRUNT! NON VEDO PERCHÉ REGA-LARVI IL MIO TEMPO! PAPERINA MI HA GIÀ ESTORTO UN COSPICUO CONTRIBUTO ECONOMICO!

ROPOLI - OCOPOLI

QUI ISCRIZIONI

COMITATO ORGANIZZATOR

FAREMO PARTIRE LA GARA DAI PIEDI DELLA COLLINA, COME SEGNO DI RICONOSCIMENTO...

UMPF! NON HO BISOGNO DI PUBBLICITÀ!

MA LA VOSTRA TV, SÌ! SE PAPER TV SPONSORIZZA L'EVENTO, TRIPLI-CHERETE GLI SPETTATORI E TUTTI I **MEDIA** PARLERANNO DI VOI!

UHM...

MI AVETE CONVINTO! CHE COSA DEVO FARE?

FAR PARTE DELLA NOSTRA GIURIA!

CIAO, PICO!

CIAO, PAPERONE!

SALVE A TUTTI!

OK QUACK, IL PAPERO ALIENO?!

BRAVO, UMPERIO!

VOLEVO IL MEGLIO E HO PENSATO CHE UN GUIDATORE DI ASTRONAVI FOSSE L'IDEALE PER LA GARA!

COMITATO ORGANIZZATORE GRANDE CORSA

AVANTI IL PROSSIMO... OH, SGRIZZO! CHE COSA CI FAI QUI?

SONO VENUTO A ISCRIVERMI, ZIO! IL MIO **MEZZO** E' IN REGOLA!

E ...CHE COSA SAREBBE?

UNA **BIMOTO**! QUATTRO RUOTE DA REGOLAMENTO!

HO COLLEGATO LA MIA VECCHIA MOTO A UNA NUOVA, COSI' E' UNA **VIA DI MEZZO**!

VABBE', PER ESSERE REGOLARE, LO E'...

SGRIZZO, SEI ISCRITTO!

SPERIAMO BENE!

SI'?
PRONTO?

BENE, SIGNOR
RANCIO!

IL MIO
TRATTORE
HA QUATTRO
RUOTE!

CHIQUITA PUOI
ISCRIVERE
PAPERINO?

EH, EH!

CHE VEICOLO
DEVO SEGNA-
LARE?

UNA FUORISERIE
RINFORZATA DEL
'66! AH...

...DIMENTICAVO! SMACK!

OPS!

VEDRAI CHE SARO' IO IL TUO
PARTNER PER LA CERIMONIA
DI CHIUSURA DELLA GARA!

MI PIACE PAPERINO, QUANDO HA GLI
ATTACCHI DI ROMANTICISMO! PER
QUANTO RIGUARDA L'IGIENE...CHIUDE-
RO' UN OCCHIO!

PER ASSICURARMI DAVVERO LA VITTORIA, **NULLA** VA LASCIATO AL CASO!

ECCO CHI MI AIUTERÀ! CIAO, ARCHIMEDE!

CIAO, PAPERINO!

ARCHIMEDE PITAGORICO INVENZIONI A TUTTE L'ORE

MA...

MI DISPIACE, MA LA RISPOSTA E' NO! MODIFICARE IL MOTORE SAREBBE UNA **TRUFFA**!

HAI RAGIONE! MA VISTO CHE IL REGOLAMENTO NON PONE LIMITI DI ALCUN TIPO...

NON DICE NULLA SUL CARBURANTE?

ASSOLUTAMENTE!

ALLORA POSSO AIUTARTI! QUESTO E' UN **SUPER PROPELLENTE PER FALCIATRICI**...

...CHE SI E' RIVELATO UN PO' TROPPO **POTENTE**!

ULP!

E COSÌ... UHM...DOVRO' USARLO CON CAUTELA, VISTO COME LA FALCIATRICE HA RIDOTTO IL GIARDINO!

E HA ANCHE **SQUARCIATO** QUELLA SIEPE ...OH!

GASTONE! CHE COSA FAI LI'?

SSST!

STAI GIU'!

EHI!

GUGLIELMINO, MI E' PARSO DI VEDERE IL PAPERO LI' DIETRO!

SGRUNT!

ADESSO TI SISTEMO IO... UH?

BE', CHE COSA VOLETE?

N.U.

OH!

DATEMI QUEL PEZZO DI LEGNO, DA BRAVO!

BENE! TENERE PULITO E' DOVERE DI TUTTI!! QUESTO E' IL VOSTRO CONTRIBUTO ECOLOGICO! E ORA ANDATE!

N.U.

CLOMP

MUOVITI, CIALTRONE! DOBBIAMO TROVARE IL **NOSTRO** PAPERO!

SIGNORA, NON ERA IL PAPERO, MA UN OPERATORE ECOLOGICO!

E ORA VUOI SPIEGARMI CHE COSA SUCCEDE?

A QUANTO PARE OGGI HO UN CERTO **FEELING** PER L'IMMONDIZIA!

N.U.

POCO FA HO TROVATO PER TERRA UN **BRACCIALE D'ORO!**

E SIN QUA, TUTTO NORMALE!

"INFATTI L'HO RACCOLTO, PENSANDO GIA' ALLA **RICOMPENSA!**"

"IL TEMPO DI TIRARLO SU CHE COMPARE LA LEGITTIMA PROPRIETARIA!"

"CREDENDOMI UN LADRO, MI HA MESSO ALLE CALCAGNA LA SUA **GUARDIA DEL CORPO!**"

188

IL SEGUITO LO HAI VISTO DA TE!

SORPRENDENTE!

EHM!

SCUSATE, SIGNORE! ABBIAMO PRESO **IN PRESTITO IL BIDONE!** LA SPAZZATURA L'HO **TEMPORANEAMENTE** APPOGGIATA LI'!

BEL LAVORO! SGRUNT!

ALLORA APPOGGIO TEMPORANEAMENTE IL MIO PUGNO QUI!

KLUNK

GASTONE, CHE COSA TI SUCCEDE? E' UNA **CRISI DI FORTUNA**?

OH, NO! SPERO DI NO!

CHE NE SAREBBE DELLA MIA REPUTAZIONE SE SI SAPESSE IN GIRO? PENSA CHE FIGURACCE FAREI ALLA GARA DI BENEFICENZA!

CHE COSA?!

TI SEI ISCRITTO ANCHE TU? SGRUNT! E ALLORA CHE COSA ME NE FACCIO DI QUESTO SUPER PROPELLENTE?

VUOI DIRE CHE HAI UNA BENZINA SPECIALE?

OPS! QUANDO IMPARERO' A STARE ZITTO?

E' UN'INVENZIONE DI ARCHIMEDE, MA CON TE IN GARA, SARA' INUTILE! UFF! E CI TENEVO TANTO A PRESENZIARE CON PAPERINA!

TI PROPONGO UN PATTO PERCHE' MI SERVONO QUEI SOLDI! TU MI FAI VINCERE CON QUELLA BENZINA E IO TI LASCIO IL POSTO A FIANCO DI PAPERINA!

UHM...

PAROLA DI CUGINO?

PAROLA!

ALLORA CI VEDIAMO DOMANI AL TUO GARAGE, PER FARE IL PIENO ALLA MIA AUTO!

AVETE SENTITO?

E' DA NON CREDERE!

EHILA'! CIAO, RAGAZZE!

GRRR! ZIO, DOVRESTI VER-GOGNART...

SSST! CHIUDI IL BECCO!

CHE COSA?!

DOVRESTI RIPO-SARTI UN PO' PER ESSERE IN FORMA PER LA CORSA!

GRAZIE, RAGAZZE! SIETE MOLTO GENTILI!

TI VOGLIA-MO VIN-CITORE!

PERCHE' NON MI AVETE FATTO DIRE QUEL CHE PENSO?

PERCHE' DOBBIAMO **BLOCCARE** IL LORO PATTO! SEGUITEMI!

POCO DOPO...

E COSI' VOLETE NASCONDERE I VOSTRI COSTUMI NEL **GARAGE** DELLO ZIO?

GIA'! SARA' UNA SORPRESA!

FAREMO LE **PON PON GIRLS**! ABBIAMO UN BALLETTO E UNA CANZONE!

FAREMO IL TIFO PER TUTTI ALL'ARRIVO!

BLEAH!

191

ANZI, CI SERVONO VOLONTARI! VI VA DI FARE I **PON PON BOYS** CON NOI?

VADE RETRO!

NON ESAGERATE, RAGAZZE! ECCO LE CHIAVI, RIPORTATELE APPENA AVETE FINITO!

GRAZIE, QUO! SEI UN AMORE!

GRAZIE ANCHE A VOI! SMACK!

URGH!

PRESTO! FACCIAMO UN DUPLICATO! AGIREMO STANOTTE!

INFATTI...

VIA LIBERA!

ECCO LA TANICA PER GASTONE!

CHE BELLA FUORISERIE!

SUPER PROPELLENTE

EH! EH! GASTONE NON SA CHE COSA LO ASPETTA!

SVUOTIAMO LA TANICA AMBITA!

SUPER PROPELLENTE

GORGLE...

OLIO DI FEGATO DI MERLUZZO

E RIEMPIAMOLA DI **OLIO DI FEGATO DI MERLUZZO**!

BLEAH!

ORA VERSIAMO IL CARBURANTE AL POSTO DELL'OLIO E FUGGIAMO!

PRESTO! ARRIVA QUALCUNO!

VIA! VIA! PRIMA CHE CI VEDANO!

ZIO, SEI DAVVERO UN INGENUO!

BOH! GASTONE HA DATO LA SUA PAROLA!

GARAGE

STAI SICURO CHE SE LA RIMANGERA'!

SI TERRA' SIA I SOLDI SIA GLI ONORI DELLA CERI-MONIA!

TIENI PER TE IL CARBURANTE!

A GASTONE DARAI QUESTO! EH! EH! EH!

OLIO DI FEGATO DI MERLUZZO

MA SÌ! AVETE RAGIONE! DOMANI NE VEDREMO DELLE BELLE!

SUPER PROPELLENTE

INFATTI...

ECCOCI AL MOMENTO DELLA PARTENZA! ALCUNI VEICOLI IN GARA SONO DAVVERO **ORIGINALI**!

CORSA AUTOMOBILISTI PAPEROPOLI-OCOPO

STARTER

BROAMMM BROAMMM

IL REPORTER **ANDY ASCOTT** HA PERSONALIZZATO LA SUA VETTURA, TRASFORMANDOLA IN **MACCHINA FOTOGRAFICA**!

IL FLASH È PER **ABBAGLIARE** I CONCORRENTI!

E CON UNA **RAZZOVETTURA**, ARRIVA PAPEROGA!

ANCHE IL MOTORE VA A ... **RAZZO**!

CICCIO, TU TI OCCUPERAI DELL'ASSISTENZA AI VEICOLI SUL PERCORSO! IO SARO' IN GARA!

CICCIOOO! SVEGLIA!

ECCO GASTONE PAPERONE!

OH, NO!

IO MI RITIRO!

ANCH'IO!

BROUMM BROMM

SPERIAMO CHE LA PRESENZA DI GASTONE NON SCORAGGI TROPPI CONCORRENTI!

FINCHE'...

...CINQUE, QUATTRO, TRE, DUE, UNO...

STARTER

BANG

ZZZ ...UH?

AH! NON E' NULLA! E' **SOLO** L'INIZIO DELLA CORSA!

VROOMM BROAMMM

ZZZ ...

LA GARA SEMBRA APPAS- SIONANTE!

SGRIZZO E LE SUE MOTO MI DANNO DA PENSARE!

LE CAVALCA COME FOSSE UN **PULEDRO**!

YU-UUUH! GIDDAP!

BROAMM

OOOH!

CRONK

PRESTO! UN PRIMO CONCORRENTE E' FUORI GARA!

TRANQUILLI! HO IL CASCO DI RISERVA! LA GARA PROSEGUE!

INTANTO...

QUESTO CARBURANTE E' FANTASTICO! FARO' MANGIAR LA POLVERE A TUTTI!

ROAR

CORRI, CORRI, CUGINO! ORA FARA' EFFETTO L'OLIO DI FEGATO DI MERLUZZO!

UH? CHE SUCCEDE?

COUGH COUGH

MA ... CHE ...

SPLUTT

SGRUNT! NON E' POSSIBILE CHE FACCIA I CAPRICCI PROPRIO ADESSO!

IL CARBURANTE E' APPICCICOSO E PUZZA DI ...DI OLIO DI FEGATO DI **MERLUZZO!**

CICCIO! PORTA IL CARRO ATTREZZI! LA **SUPERTURBO** MI HA PIANTATO IN ASSO!

GUARDA, UMPERIO! PAPERINO E' IN **PANNE!**

GRRR! SGRUNT! BAH! ARGH!

OH, NO! NON GUARDARE PIU'! CIOE', GUARDA LA STRADA! **ATTENTO ALLA TRIBUNA!**

AAAH!

HO PERSO IL CONTROLLO, OK QUACK!

DEVO INTERVENIRE SUBITO!

GRAZIE! HO FATTO BENE A PORTARTI CON ME!

GIA'! MA LA PROSSIMA VOLTA NON TI DISTRARRE!

CHIEDIAMO LA SQUALIFICA DEL CONCORRENTE BOGARTO!

INTANTO, GASTONE...

QUEST'AUTO NON CORRE! VOLA!

SONO QUASI AL TRAGUARDO! SARA' MEGLIO RALLENTARE!

URGH! HO FRENATO TROPPO! **STO FACENDO LA PUNTA ALL'AUTO!**

FRZZZT

OPS! TANTI SALUTI ALLE **RUOTE ANTERIORI!**

CLANG

E ADDIO ANCHE ALLE POSTERIORI!

MI SONO FERMATO A DIECI METRI DAL TRAGUARDO! E' IL COLMO!

RRIVO

SKREEE...

TUTTO BENE?

S-SI'!

CHIAMIAMO IL CARRO ATTREZZI PER SGOMBERARE LA PISTA!

CICCIO, INSOMMA! RISPONDI AL TELEFONO!

DRINN DRINNN

RIZZ
BEVET

UH?

EH? L'AUTO DI GASTONE? SÌ, ARRIVIAMO!

SGRUNT! OLTRE AL DANNO LA BEFFA! DEVO AIUTARE IL CUGINASTRO!

ULP! PERCHÉ SIETE TUTTI FERMI?

QUALCUNO HA SPARSO SULLA PISTA DI OLIO DI FEGATO DI MERLUZZO! TUTTE LE AUTO SONO IMPANTANATE!

FACCIO FINTA DI NULLA...

POCO DOPO...

SICURO DI VOLER RESTARE A BORDO?

SÌ! UMPF!

RIVO

POCK
TUNK

BIBITA FRIZZANTE

TUMP

IL DESTINO HA VOLUTO CHE NESSUNO DEI DUE VINCESSE ...

ED ECCO IL VINCITORE!

ZZZ...

ZOC!

PAOLINO PAPERINO, CON IL SUO VEICOLO, TAGLIA IL TRAGUARDO!

CHE COSA?

E' VERO! HO VINTO!

ARRIVO

EHI! NON VALE! IL CARRO ATTREZZI NON E' ISCRITTO ALLA CORSA! LA MIA AUTO SI'!

NON IMPORTA IL VEICOLO, MA CHE SIA ISCRITTO IL PARTECIPANTE CHE TAGLIA IL TRAGUARDO SU QUATTRO RUOTE!

OPERAZIONE IN QUESTO MOMENTO A VOI DIFFICILE!

ULP!

E COSÌ, QUELLA SERA...

ALLORA, CHE TE NE FARAI DELLA VINCITA?

BELLA DOMANDA!

PENSAVO DI COMPERARMI UN...

EHM!

EHM!

EHM!

CIOÈ LA DEVOLVERÒ IN **BENEFICENZA!** EH, EH!

BRAVO! BELLA IDEA!

CICCIO, MI IMPRESTI IL TELEFONO?

FAI PURE, GASTONE! CHOMP!

FERRAMENTA? QUANTO MI COSTA **UN QUINTALE** DI FERRI DI CAVALLO FORTUNATI?

FINE

SIGH!
TOMBOLA!

BANG

INVECE DI **13 MINUTI**, IMPIEGHERO' **13 ORE**!

PERCHE', PERCHE' CONTINUO A FIDARMI DI QUESTO **CATORCIO**?

313

MAGARI, LASCIANDOLA RIPOSARE UN PO'...

Un'ora dopo...

GRRR! NON HA LA MINIMA IN-TENZIONE DI RIPARTIRE!

FRR...
FRR...

313

COME AL SOLITO... ANF... PANT... MI TOCCA SPINGERE!

313

UHM... SE NE POTREBBE PARLARE PER MILLE DOLLARI!

MILLE DOLLARI?! CI STO!

DAVVERO SEI DISPOSTO A **SPENDERE** TANTO PER LIBERARTENE?

SPENDERE? AVEVO CAPITO CHE...

...CHE IO TI OFFRISSI DEL DENARO PER **QUELLA**? AH, AH! CHE **BURLONE**!

GRAZIE ALLA MIA LAUREA IN **SGRUMFOLOGIA**, DEDUCO CHE...

UMF! SGRUMF!

...HAI QUALCHE **PROBLEMA**!

BRAVO! UN VERO GENIO!

SUPPONGO CHE IL TUO PROBLEMA SIA QUEL... EHM... ROTTAME!

GIÀ! PER COLPA SUA, PAPERINA SARÀ FURIBONDA!

UN TELEFONO! DEVO SCUSARMI SUBITO CON LEI!

RISPONDE LA SEGRETERIA TELEFONICA! POTETE LASCIARE UN MESSAGGIO! SE PERÒ...

...SEI PAPERINO, SAPPI CHE NON INTENDO VEDERTI *MAI PIÙ*!

PERCHÉ NON TI LIBERI DI QUESTA CARRETTA, PAPERINO?

GRRR... È UNA VECCHIA STORIA! VECCHIA E **SEGRETA**!

MA TE LA RACCONTO SE MI AIUTI A SPINGERE!

UHM... SÌ, IN FONDO SONO LAUREATO IN **SPINTOLOGIA**!

214

CON QUESTA SPIDER POTREI RICONQUISTARE PAPERINA!

SIGH!

PERÒ...

EHM...TU MI CAPISCI, VERO? NON POSSO DARE UN CALCIO ALLA FORTUNA!

COSAAA?

IO INVECE POSSO DARLO, UN CALCIO!

LO TRATTERETE BENE, VERO?

CERTO! IO ADORO GLI ANIMALI!

LUI, PIUTTOSTO, E' BUONO?

BUONISSIM...

...OOOOOOOOH!

THUD

!

AHI! OHI! QUESTA E' UN'**AUTO DA CORSA**, VERO? E' IN BUONE CONDIZIONI?

1000 PESOS

OTTIME! IERI, PER ESEMPIO, HO COMPRATO LE **GOMME NUOVE**!

DAVVERO?

SÌ, QUELLE **DA MASTICARE**, PER RATTOPPARE LE CAMERE D'ARIA! IH, IH!

SONO NUOVE ANCHE LE **SOSPENSIONI!**

DELL'ASSICU- RAZIONE E DEL LIBRET- TO DI CIR- COLAZIO- NE!

LA COMPRO!

COMPLIMENTI! OTTIMO AFFARE!

ALLORA LA 313 E' **MESSICANA?**

PROPRIO COSÌ!

PROVIAMO IN QUELL' OFFICINA! E' **NUOVA** E NON MI CONOSCONO ANCORA!

VI AVVISO CHE NON SARÀ IMPRESA DA POCO, RIPARARLA!

VI PREGO, LE SONO MOLTO **AFFEZIONATO!**

"*SUL PICCO SMANGIUCCHIATO ABITAVA UN VECCHIO EREMITA...*"

CHI SI PERMETTE DI **DISTURBARE** LE MIE MEDITAZIONI?

SCUSATE, MA DEVO... PANT, PANT... DISFARMI DI QUESTA **TRADITRICE**!

POK!

PERCHÉ? COSA VI HA FATTO?

BAH! NON VALE NEANCHE LA PENA DI PARLARN...

...EEEEEH!

AIUTOOO!

CRASH

"*POI GLI HO RACCONTATO TUTTO...*"

FORSE POSSO AIUTARVI!

IN CHE MODO?

CON UN FILTRO MAGICO, CHE PER UN MESE TRASFORMERÀ LA VOSTRA AUTO IN UNA **SUPER-SUPER!**

EVVIVA!

SIGH! POI, PERÒ, TORNERÀ **COME ADESSO?**

NON PROPRIO!

NEL SUO CUORE METALLICO RESTERÀ SEMPRE UNA **SCINTILLA DI VITA!**

E POI COS'È SUCCESSO? SONO CURIOSO!

L'EREMITA HA PRESO DEGLI INGREDIENTI **SPECIALI!**...

...LI HA MESSI IN UN PENTOLONE E...

...E LA **313** E' DIVENTATA UN **BOLIDE DI FORMULA UNO?**

GIA'! LA COSA PIÙ **DIFFICILE** E' STATA CONVINCERE PAPERINA A RIPROVARE!

E VA BENE! E' LA TUA **ULTIMA POSSIBILITÀ!**

NON TEMERE, CARA!

SEI PRONTA PER IL DECOLLO?

PFUI! FIGURIAMOCI!

VROM VROM

"**MI** SONO STUPITO ANCH'IO! SEMBRAVA DI ESSERE SU UN **RAZZO!**"

228

BASTAAA! NON VOGLIO PIÙ SAPERNE, DI TE!

BONK

AIUTAMI, PICO! TORNIAMO IN CITTÀ, TANTO LA STRADA È IN DISCESA!

BE', ALMENO I FRENI FUNZIONANO!

TSK! NON DIRLO DUE VOLTE!

EHI! HAI SENTITO?

SARÀ STATO UN TUONO, MA CHE IMPORTA?

ROOOMBLE

L'UNICA COSA CHE MI INTERESSA È SBARAZZARMI DI QUESTO MACININO!

PIÙ TARDI...

STRANO! E' TUTTO A POSTO!

GRRR! IO LA FACCIO A PEZZI!

ASPETTA! FORSE HO CAPITO CHE COS'E' SUCCESSO!

SÌ, SÌ! QUI C'E' UN POTENZIALE ELETTRICO ANOMALO!

?

231

NON HO MAI VISTO UNA COSA SIMILE!

MA CHE SIGNIFICA?

ATTENZIONE! EDIZIONE STRAORDINARIA DEL NOTIZIARIO!

?

INTANTO... È INUTILE CHE CI PENSI! NON VOGLIO VEDERLO MAI PIU'!

ANCHE IN MONTAGNA... QUEL PASTICCIONE DELLO ZIO È IN RITARDO!

EDIZIONE STRAORDINARIA...

MEZZ'ORA FA UNA **GIGANTESCA VALANGA** SI È ABBATTUTA SULLA STRADA MONTANA **74 BIS**...

ERAVAMO PROPRIO LÀ! ECCO COS'ERA QUEL **BOATO**!

NOOO! PAPERINO È ANDATO DAI NIPOTINI!

POVERO CARO! COME VORREI RIVEDERLO QUI **SANO E SALVO!**

ECCO PERCHE' LO ZIO TARDA!

SPERIAMO CHE NON SIA... **BRRR!**

ALLORA... SI E' FERMATA **PER SALVARCI!**

GIA'! MERITO DEL- LA **SCINTILLA DI VITA!**

E' COMMOVENTE! ANCHE UN INSIEME DI INGRANAGGI PUO' AVERE UN CUORE!

AMICA MIA! NON TI LASCERO' MAI!

PCIÙ PCIÙ

CORRIAMO SUBITO AD AVVI- SARE PAPERINA E I RAGAZZI! SARANNO IN PENSIERO!

BLINK

FINE

TRE URRÀ PER LUI!

SGRUNT! NON LO SOPPORTO!

NIPOTI INGRATI! AMMIRANO QUEL **CAMPIONUCOLO** COME UNA VOLTA AMMIRAVANO **ME**!

UHM! NON MI SEMBRA POI COSÌ BRAVO! HA VINTO PERCHÈ NON AVEVA AVVERSARI!

MA CHE DICI, ZIO?

TANGOSTINI È IL PIÙ GRANDE CAMPIONE DI MOTOCROSS DEL **MONDO**!

NESSUNO SAPREBBE "VOLARE" COME LUI!

SCUSA, ZIO! MA DOBBIAMO ANDARE A FESTEGGIARLO!

UMPF! NON MI DANNO RETTA!

SONO SICURO CHE SAPREI FARE MEGLIO DI QUEL TANGOSTINI! SE AVESSI UNA MOTOCICLETTA...

EHI! ECCOLE LI LE MOTOCICLETTE!

TZ...SE FOSSE MIA MOSTREREI DI CHE COSA SONO CAPACE!

BE', POTREI FARCI UN GIRETTO!

SBALORDIRÒ I RAGAZZI!

YIAOOO!

SOB! NON HO VISTO LA POZZANGHERA!

POVERO ZIO... NON HA PROPRIO LA STOFFA DEL CAMPIONE!

E COSÌ, PIÙ TARDI...

UEEE! IO SONO TANGOSTINI, IL CAMPIONE!

239

IO, INVECE, SONO ZIO PAPERINO!

BASTAAA! NON SOPPORTO DI ESSERE PRESO IN GIRO!

UMF! DEVO TROVARE IL MODO DI RICONQUISTARE LA LORO **AMMIRAZIONE!**

DOVRANNO RICREDERSI! DIVENTERÒ UN CAMPIONE!

CHIEDERÒ A ZIO PAPERONE UNA DELLE SUE MOTO IN PRESTITO!

UNA **MIA** MOTOCICLETTA PER ALLENARTI?

EHM, SÌ, ZIO!

NIENTE DA FARE, NIPOTE! IO NON PRODUCO PER **BENEFICENZA!**

POTREI PORTARE LA MAGLIA DELLA TUA SQUADRA DI CROSS!

TI FAREI UN MUCCHIO DI **PUBBLICITÀ!**

È PROPRIO DELLA PUBBLICITÀ CHE PUOI FARMI **TU** CHE HO **PAURA!**

CHE NE DIRESTE, MISTER PAPERONE, DI...

E' VERO!

ECCO, CI SAREBBE UN MODO PER GUADAGNARTI UNA MOTOCICLETTA NUOVA **FIAMMANTE**!

DICI DAVVERO, ZIO?

LA MIA SQUADRA DEVE PARTECIPARE DOMANI AL **GRANDE MOTOCROSS DELLA SIERRA**! MA MI MANCA UN PILOTA!

SE TU VI PARTECIPI AVRAI IN PREMIO LA MOTO CON LA QUALE CORRI!

AFFARE FATTO, ZIO!

E COSÌ...

MA, ZIO, IL MOTOCROSS DELLA **SIERRA** E' UNA CORSA MASSACRANTE!

BENE! VINCERÀ IL **MIGLIORE**!

NATURALMENTE STO PARLANDO DI **ME**!

PIù TARDI...

SALVE, ZIO!

SBRIGATI, PAPERINO! ABBIAMO I MINUTI CONTATI!

LE SQUADRE SONO GIÀ ALLINEATE PER IL **VIA!**

YIUP! SONO PRONTO!

PUFF, PUFF! APPENA IN TEMPO!

GRANDE MOTOCROSS DELLA SIERRA

GOMME TIRELLI

244

EHI! E' RIUSCITO A **CAVARSELA**!

BENE! ALLORA GLI FAREMO **SBAGLIARE** STRADA!

MOTOCROSS DELLA SIERRA

OH, OH! UN CARTELLO INDICATORE!

MOTOCROSS DELLA SIERRA

VISTO CHE FANNO SCHERZI RENDERO' PAN PER FOCACCIA!

EH! EH! TUTTI DRITTI PER LA STRADA **SBAGLIATA**!

MOTOCROSS DELLA SIERRA

ALMENO COSI' CREDE PAPERINO!

*M*a, DOPO AVER PERCORSO PARECCHI CHILOMETRI...

248

249

E COSÌ...

SAN PEDROOO!

ECCO I BIGLIETTI PER VOI E PER LA VOSTRA MOTO, SEÑOR!

SGRUNT!

E ADESSO DOVE LO TROVO UN MECCANICO?

CERCATE UN MECCANICO, SEÑOR? ECCOLO!

POSSO RIPARARE LA VOSTRA MOTO MENTRE VI RIPOSATE ALLA LOCANDA, SEÑOR!

LOCANDA

RIPOSATEVI, SEÑOR! QUANDO VI SVEGLIERETE LA VOSTRA MOTO SARÀ IN PERFETTO ORDINE!

BENE!

MA QUALCHE TEMPO DOPO...

CLANG CLENG THUMP

ULB! CHE SUCCEDE LÀ FUORI?

SALVE, SEÑOR!

EEEH?!?

MA CHE AVETE FATTO?

HO FINITO ADESSO DI SMONTARLA, SEÑOR!

ADESSO NON CI RESTA CHE **RIMONTARLA** E SIAMO A **POSTO**!

PAFF

POI...

NO, SEÑOR! QUEL PEZZO NON VA LI'!

MA CHE DICÍ? E' PROPRIO IL SUO POSTO!

QUELLO E' IL CAVO DELL'ACCE- LERATORE, SEÑOR! NON QUELLO DEL FRENO!

MA SE E' LA **FRIZIONE**!

SNORT!

E FINALMENTE...

PERFETTA! SEMBRA MOLTO ME- GLIO DI PRIMA!

GIÀ!

QUEL CHE CONTA E' CHE SI METTA IN MOTO!

ADIOS, SEÑOR!

SGRUNT! DEVO RECUPERARE IL TEMPO PERSO!

PERBACCO! È RIUSCITO A RIPARTIRE!

COME AVRÀ FATTO?

NON SO! COMUNQUE DOBBIAMO **PROVVEDERE**!

INFATTI...

AUFF! CHE STRADA INFERNALE!

DEVIAZIONE

LAVORI IN CORSO

EHI! SEMBRA UN TRAMPOLINO!

GULP! È UN TRAMPOLINO!

YIEEEEEH!

SPLAASCH

YIUP! CHE SUCCEDE?

TOH! E' LA PRIMA VOLTA CHE PESCO UN **PAPERO**!

EHI! SVEGLIA, SEÑOR!

SPLUSH

ECCO FATTO! CHE NE DITE?

BRAVISSIMO!

VENITE! VI CONDURRÒ SULLA PISTA DEL MOTOCROSS!

GLAB! NON C'ERA ALTRO MODO PER USCIRE DAL CANYON?

NO, SEÑOR!

INFINE...

UHM! NON RIUSCIRÒ MAI A RIMETTERLA IN MOTO!

VRRR VRRR

ASPETTATE! HO IO QUEL CHE CI VUOLE PER IL VOSTRO MOTORE!

?

HA BISOGNO DI UN **CICCHETTO!**

CHE VI DICEVO?

BROOOOAAARR

EHI! CHE ACCIDENTI GLI AVETE...OFFERTO?

SOLO UN POCHINO DI...

BOING TOING TOING BOIN

INSETTICIDA!

SOB!

ADIOS, SEÑOR!

PRROOAAAAAAA

UHM! ORMAI PAPERINO NON ARRIVA PIU'!

GULP! ARRIVA QUALCUNO! CHE SIA LUI?

PAPERINO!

AIUTO!

EEEK!

SKRASK

EHI! ATTENTO!

ROOO

259

BENE, SEÑOR PAPERONE! MI AVETE CONVINTO!

?

!

LA VOSTRA MOTOCICLETTA HA SUPERATO **TUTTE LE TERRIBILI PROVE** ALLE QUALI I MIEI UOMINI L'HANNO **SOTTOPOSTA**!

QUINDI ECCOVI IL CONTRATTO PER LA FORNITURA DI MOTOCICLETTE ALLA NOSTRA **POLIZIA**!

SICCHÉ TI SEI SERVITO DI ME PER PROVARE CHE LE TUE MOTO SONO **MOLTO ROBUSTE**?

EHM, SÌ, L'HAI DETTO!

IN FONDO ORA HAI LA MOTO CHE **TANTO** DESIDERAVI!

TI ACCHIAPPERÒ, ZIO! DOPO QUESTO MOTO-CROSS POSSO INSE-GUIRTI FINO IN **CAPO AL MONDO**!

NON SAI STARE AGLI SCHERZI, NIPOTE!

FINE

TEMO CHE QUESTA VOLTA **IL TUO NEMICO** ABBIA RAGIONE!

NON RAGGIUNGEREMO MAI IL **DOTTOR KRANZ** CON QUESTO **CATORCIO!**

NON OFFENDERE LA MIA **GIPPIPPA!** TU NON SAI DI COS'E' CAPACE!

ADESSO INSERISCO LA **QUARTA** E... OPS!

TRACK

OH, BE'... CE LA FAREMO ANCHE IN TERZA!

SU QUESTE STRADE NON E' LA VELOCITA' CHE CONTA, MA LA **ROBUSTEZZA!**

CLOK

CLONK

VISTO? LA **GIPPIPPA** HA LE SUE RISORSE SEGRETE!

KRANZ, NON MI FERMI! LA PAGHERAI!

PIPPS! TIENI LE MANI SUL VOLANTE!

SÌ, SÌ, CERT... **UH-OH!** VUOI **RIDERE?**

N-NON NE HO PROPRIO VOGLIA! P-PERCHÉ'?

LO **STERZO** CI HA FATTO UNO... **SCHERZO!** EH, EH!

LA-LA-LA LA CURVAAAAH! FRENA, PIPPS! **FRENA!**

CI STO PROVANDO, MA...

CREAK

ZOOWFB

EH, SÌ! D'ALTRA PARTE ERA ORA CHE ANDASSE IN PENSIONE!

IN PENSIONE? NEANCHE A PARLARNE!

CON UNA PICCOLA REVISIONE, TORNERÀ COME QUASI NUOVA!

FIGURIAMOCI! QUEL RUDERE È UN PERICOLO AMBULANTE! DEVI SBARAZZARTENE!

ULP!

MA... MA MI HA SEMPRE SERVITO FEDELMENTE! SAPESSI LE VOLTE CHE MI HA SALVATO LA VITA!

EH! HO VISTO!

FORSE NON LO SAI, MA NEGLI ULTIMI CINQUANT'ANNI SONO STATI COSTRUITI ALTRI FUORISTRADA!

SAREBBE ORA CHE TE NE COMPRASSI UNO NUOVO!

E LASCIARE LA GIPPIPPA? MAI!

DA NOI TROVERETE CERTAMENTE QUALCOSA PER SOSTITUIRE IL VOSTRO... EHM... VEICOLO!

NON C'E' CHE L'IMBARAZZO DELLA SCELTA! ABBIAMO DI TUTTO!

DAL MODELLO **SUPERMINI** PER BAMBINI, UTILE ANCHE PER L'ATTRAVERSAMENTO DELLE POZZANGHERE...

... AGLI **EXTRAMAXI**! SEGUITEMI, PREGO!

ECCO IL **SUPER BOMBER**, ADATTO PER LE DUNE DEL DESERTO!

E QUESTO E' LO **SPEED 2000**, PER ACCELERAZIONI DA 0 A **100** MIGLIA IN **MEZZO SECONDO!**

SE POI VOLETE ANDARE SUL **FUTURIBILE**, CHE NE DITE DEL **ZPW 3000?** SI TRASFORMA IN ELICOTTERO O SOTTOMARINO SECONDO LE ESIGENZE!

MA CREDO DI CAPIRE CHE VOI DESIDERIATE QUALCOSA DI PIÙ... **CASUAL!**

E ALLORA MI PERMETTO DI CONSIGLIARVI IL **BIG ROLLER DE LUXE!**

OOOH!

UNA **MERAVIGLIA** SUPERACCESSORIATA, CON DOTAZIONE **INFINITA** DI OPTIONAL! AMMIRATE LA LINEA **MOSTRUOSAMENTE** AGGRESSIVA! UN SOGNO... UN VERO SOGNO A QUATTRO RUOTE E TUTTE MOTRICI!

CERCHIONI IN **ARGENTO CESELLATO** CON RIVESTIMENTO **VELLUTATO** DEGLI PNEUMATICI...

...SETTE TIPI DI ANTENNA, COMPRESA L'ASTA PER L'**ALZABANDIERA** TELECOMANDATA...

277

ALLA FINE...

ALLORA, COM'E' ANDATA?

VETTURA FANTASTICA! IL **MASSIMO DEI MASSIMI**!

E' TUTT'ALTRA COSA RISPETTO ALLA GIPPIP. PA, VERO?

EH, BE'...

BASTA CON GLI INDUGI! **HO DECISO**!

BENE! L'IMPOR. TANTE E' CHE TU SIA **CONVINTO**!

CERTO CHE LO SONO! **CONVINTISSIMO**!

GIORNI DOPO...

INDIANA PIPPS MI HA CONVOCATO PER UNA NUOVA AVVENTURA! MI CONFORTA IL FATTO CHE QUESTA VOLTA NON AVREMO SORPRESE, GRAZIE AL **NUOVO FUORISTRADA**!

EHILÀ! È PRONTA L'AUTO?

CERTO, TOPOLINO!

CO-CO-COOOSA?!

MA È LA **GIPPIPPA**!

LEI IN... EHM... PERSONA, COMPLETAMENTE **RINNOVATA**!

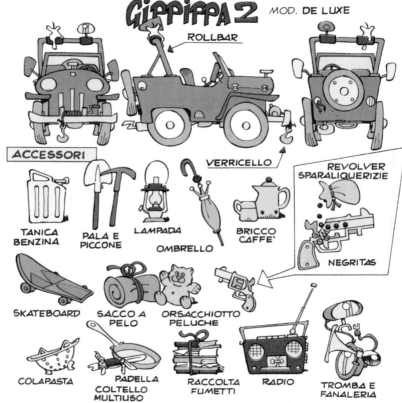

Gippippa 2 MOD. DE LUXE

ROLLBAR

VERRICELLO

ACCESSORI

TANICA BENZINA

PALA E PICCONE

LAMPADA

OMBRELLO

BRICCO CAFFÈ

REVOLVER SPARALIQUERIZIE

NEGRITAS

SKATEBOARD

SACCO A PELO

ORSACCHIOTTO PELUCHE

COLAPASTA

PADELLA COLTELLO MULTIUSO

RACCOLTA FUMETTI

RADIO

TROMBA E FANALERIA

E COSÌ...

NON MI PRENDERAI, INDIANA PIPPS!

BRO-OAM-M

TEMO CHE KRANZ ABBIA RAGIONE, INDIANA!

FORSE, TOPOLINO, FORSE! MA INTANTO...

...CHE NE DICI DI UNA TAZZA DI CAFFÈ? O PREFERISCI UN BEL PIATTO DI PASTASCIUTTA?

FINE

BE' DOPOTUTTO NON E' IMPORTANTE IL... MEZZO, MA IL **FINE**, GIUSTO?

-MARKET

P

QUESTO E' **TROPPO!** ESIGO **SPIEGAZIONI!**

SEMBRAVA UNA MISSIONE **IMPOSSIBILE**, INVECE... ECCOCI QUI!

NON CAMBIARE DISCORSO!

SCUSATE, STATE ANDANDO VIA?

EH, EH! E POI NON ABBIAMO NEPPURE IL PROBLEMA DEL **PARCHEGGIO!**

NO, MI DISPIACE! I POSTI VANNO PRESI... **AL VOLO!**

CALMATI, MINNI! ORA TI RACCONTO TUTTO!

SI TRATTA DI UN'AUTO SPECIALE PER... UN **COLLABORATORE SPECIALE**, COME ME! E' UN REGALO DI BASETTONI PER LE PROSSIME INDAGINI!

-MARKET

SGRUNT! POTEVI DIRLO SUBITO!

289

ULP! L'AUTO NON È ANCORA ARRIVATA! EPPURE DOVEVA ESSERE QUI!

FORSE È RIMASTA INTRAPPOLATA NELL'INGORGO!

FERMATI! NON TIRARE!

A CUCCIA, FUFFOLUCCIO! A CUCCIA!

GROAAAR!

SGRUNT! CI MANCAVA SOLO QUESTA!

TOPOLINO, IL TELECOMANDO SEGNALA QUALCOSA!

BIP BIP BIP

PARCHEGGIO MIMETICO!

GASP! È L'EDICOLA!

UAO!

CLA-CLAK

PRESTO! INSEGUIAMO QUEI FURFANTI!

VRRR

OH, NOOO! ANCORA TRAFFICO!

POCO MALE! NON DIMENTICARE CHE NOI ABBIAMO UNA **MAR-CIA IN PIÙ**!

UHM... MA QUA-LE SARÀ?

VEDIAMO A CHE COSA SERVE QUE-STO PUL-SANTE?

CLIC

ULP! FUNZIONA!

BRAVA, MINNI! QUESTA VOLTA IL TUO INTERVENTO È STATO PREZIOSO!

58931

GULP! È PROPRIO VERO CHE IL FUTU-RO È A DUE RUOTE!

LO DICE ANCHE LA TV!

VROUUM

SVELTO! DA QUELLA PARTE!

EHM... NON RIE-SCO A **CAMBIARE DIREZIONE**...

SCREEEK

292

301

BRAVO, FUFFO-LUCCIO!

SEI UN VERO SEGUGIO!

BAU!

CLAP CLAP CLAP

ALLORA NON HAI **FIUTO** SOLO PER IL CICCIO-MEAL!

NO, ANCHE PER IL **BAU-BREAKFAST**, IL **CRUNCH & LUNCH**, E IL **DOGGY DINNER**...

E...

ALLORA, TOPOLINO, TI SEI TROVATO BENE CON LA NUOVA AUTO?

EHM... VOLEVO GIUSTO PARLARVI DI QUESTO...

CORAGGIO!

SENZA OFFESA, COMMISSARIO... MA UN'AUTO COSÌ **TECNOLOGICA** NON FA PER ME!

NON C'È PROBLEMA!

P.D.

L'ASSEGNERÒ A UN AGENTE... **SUPER-SEGRETO**!

NON PRIMA DI AVERGLI FATTO STUDIARE LE **ISTRUZIONI**! EH, EH!

GIUSTO!